Goncourt, I

Die Kunst des achtzehnten Jahrhunderts

zweiter Band

Goncourt, Edmond de

Die Kunst des achtzehnten Jahrhunderts

zweiter Band

Inktank publishing, 2018

www.inktank-publishing.com

ISBN/EAN: 9783750123144

E. u. J. DE GONCOURT

DIE KUNST DES ACHTZEHNTEN JAHRHUNDERTS

ZWEITER BAND

MIT 42 GANZSEITIGEN ABBILDUNGEN

HYPERIONVERLAG / MÜNCHEN

INHALT

Band I:

1. Watteau . . . . S. 1
2. Chardin . . . . S. 87
3. Boucher . . . . S. 169

Band II:

4. La Tour . . . . S. 11
5. Greuze . . . . S. 95
6. Die Saint-Aubin . . . . S. 171

LA TOUR

1

In jenen originellen Privatsammlungen, die im vierten Stock eines Pariser Hauses untergebracht sind und Zeugnis ablegen von der Beschäftigung, den Opfern und auch der Freude eines ganzen Lebens, hat man zuweilen Gelegenheit, an einem gar nicht auffallenden Platze im Winkel einen kleinen schwarzen Rahmen zu entdecken[1]), auf dessen unterer Leiste ein Stückchen Papier mit einem kaum noch zu entziffernden Namen in verblaßter Tinte befestigt ist. Die schlichte Einfassung aus Fichtenholz birgt unter Fensterglas ein Blatt Papier, das ehemals wohl blau gewesen sein muß und jetzt die Spuren vergangener Zeiten trägt: es steckt schief im Rahmen, der Glaser hat das große Blatt Papier, ohne viel Umstände zu machen, vierfach gefalzt und es dann schlecht und recht in die schwarze Holzleiste gezwängt. Was sieht man auf dem Papier? Ein paar flüchtig hingeworfene, farbige Striche, mit Kreide aufgesetzte breite Lichter, ein Gekritzel mit Rötel und Bleistift, nichts weiter, — und das ist ein Kopf. Man schaut und schaut; dieser Kopf kommt dem Betrachter entgegen, tritt aus dem Rahmen heraus, hebt sich vom

---

[1]) In solchen kleinen schwarzen Rahmen scheint La Tour alle seine *préparations*, die er wie ein Museum in seiner Wohnung vereinigt hatte, auf das sorgfältigste gehütet zu haben. Man konnte den Präparationen in diesen schwarzen Rahmen noch bis vor wenigen Jahren im Museum zu Saint-Quentin begegnen.

13

Papier ab, und man glaubt in der Tat niemals, auf keiner Zeichnung irgendeiner Schule, eine ähnliche Darstellung von einem Gesicht, etwas mit Bleistift oder Kreide Gezeichnetes gesehen zu haben, was so unmittelbar lebendig gewirkt hätte. Und unsere Bewunderung wächst, je länger wir hinsehen und prüfen, wir staunen über diese trotzige Schöpferkraft, dieses Belebungsvermögen, diese unvergleichliche anatomische Kenntnis des menschlichen Gesichts, das Hervorheben der Hauptcharakteristika, über diese Andeutung des Schließmuskels der Augenlider, diese wunderbare Wiedergabe des Gefühls und des blutvollenLebens in den ausdrucksvollen Muskeln, des scheinbar pulsierenden Zuckens an Nase und Lippe, des *risorius*, der das Lächeln und den Spott am Munde ausdrückt. — Was ist dieser Kopf in diesem schlechten Rahmen? Ein erster Wurf, eine Skizze, das mit einmaligem Zupacken erreichte Festhalten einer Ähnlichkeit, eine *Präparation* La Tours, wie man in Kunstkreisen sagt, eins jener Meisterwerke, die Gérard einmal den demutsvollen Ausruf entlockten: „Man könnte uns alle in einem Mörser zerstampfen, Gros, Girodet, Guérin und mich, alle die Gs, und würde doch niemals imstande sein, so etwas wie das aus uns herauszuholen."

2

La Tour wurde 1704 zu Saint-Quentin geboren. Sein Vater war Kantor an dem königlichen Stift der Kollegialkirche. Er hatte die gewöhnliche, mit mancherlei Legenden ausgeschmückte Jugend fast aller Maler:

14

auf dem Gymnasium, unter dem Rektorat Nicolas Desjardins, füllte er seine griechischen und lateinischen Hefte mit dem Bilde alles dessen, was er sah, skizzierte die Vorgänge in der Klasse, seine Schulkameraden, seinen Magister und dessen strenge Amtsmiene. Den Vater rührte diese Befähigung wenig. Er hatte es sich in den Kopf gesetzt, den Sohn trotz seiner Kurzsichtigkeit Ingenieur werden zu lassen. Jedoch alle Ermahnungen und Strafen halfen nichts, die Neigung des Knaben war nicht zu erschüttern, er fuhr fort zu zeichnen, kopierte mit der Feder alte Stiche, die er fand, und verbrauchte sein geringes Taschengeld zum Kaufen von Zeichenstiften und Vorlagen. Da gelangten eines Tages Aktzeichnungen des Malers Vernansal nach Saint-Quentin; einer seiner Schüler hatte sie mit in die Stadt gebracht; der junge La Tour sah sie, fühlte in seinem Herzen den glühenden Wunsch, auch so etwas zu machen, und erklärte seinem Vater, daß er Maler werden wolle; der Kantor jedoch, durchaus von spießbürgerlichen Ideen beherrscht und ohne irgendwelches Vertrauen zu diesem gewagten Berufe, verweigerte rundheraus seine Erlaubnis zur Verwirklichung dieser Kinderlaune. Daraufhin entfloh der junge Mann nach Paris: er war kaum fünfzehn Jahre alt.

Diese Einzelheiten, die man im *Abecedario* Mariettes findet, sind deshalb nicht ohne Bedeutung, weil sie uns im Gegensatz zu dem Berichte des Kanonikus Du Plaquet und des Chevalier Bucelly d'Estrées die Ankunft La Tours auf dem Pflaster von Paris nicht als die eines schon bekannten Malers schildern, sondern als die

15

eines Jungen, der einfach der Schule entlaufen ist, ohne Mittel, ohne Talent, jedoch schon im Besitze eines festen Charakters und bereit, dem Leben und der Zukunft mit dem Mut des angeborenen Berufes die Stirn zu bieten. Da er in Paris niemand von der Kunst kannte, nur auf einem Stich den Namen Tardieu gelesen hatte, schrieb er diesem Stecher und bat ihn um seinen Rat und um seine Hilfe; und Tardieu hatte, im Glauben, der junge Mann wolle Stecher werden, ihm geantwortet, er möchte sich nur auf den Weg machen und ihn besuchen. La Tour folgte der Aufforderung; als er dem Meister jedoch sagte, er wolle Maler werden, da war guter Rat teuer. Wo ihn unterbringen? Tardieu verfiel auf Delaunay, der am Quai de Gesvres einen Bilderladen mit einer kleinen Werkstatt hatte. Aber La Tour wurde dort abgewiesen. Vernansal, zu dem man ihn dann führte, bereitete ihm keine bessere Aufnahme. Endlich fand er Zutritt bei Spoëde, einem mittelmäßigen Maler, aber einem vortrefflichen Menschen, bei dem er mit der Willigkeit eines Schülers arbeitete, der noch alles zu erlernen und zu erobern hat.

Die Biographen seiner Vaterstadt setzen ganz an den Anfang seiner Laufbahn eine Reise nach Reims, wohin der Maler, wie sie sagen, ging, weil er nicht Geld genug hatte, nach Italien reisen zu können, und auch, weil er gern die in der historischen Stadt verbliebenen Werke jener Künstler, welche die Krönung der französischen Könige dorthin gelockt hatte, studieren wollte. Aber die von Mariette so genau angegebenen Einzelheiten, die keinen Zweifel an der Flucht La Tours

16

Maurice Quentin de La Tour   Madame de Pompadour, Vorstudie·

nach Paris offen lassen, legen es uns nahe, diese Reise des Malers nach Reims auf ein wahrscheinlicheres Datum zu verlegen. Erinnern wir uns, daß La Tour mit fünfzehn Jahren nach Paris gekommen ist, also etwa um 1719. Er ist einige Jahre dort geblieben. Welche Gelegenheit hätte ihn zu dieser Zeit veranlassen können, nach Reims zu gehen? Die Krönung Ludwigs XV. fand am 25. Oktober 1722 statt. La Tour war damals achtzehn Jahre alt; er mußte schon längst die Schwäche des Talentes, die Unzulänglichkeit der Lehrtätigkeit seines Meisters erkannt haben; wie, wenn er sein Glück versuchen und arbeiten wollte, wie es ihm paßte? Was für eine schönere Gelegenheit eines unbekannten Porträtmalers für das erste Hervortreten konnte es wohl geben, als die Krönung, diese Zusammenkunft einer großen Menschenmenge mit Berühmtheiten, Fremden und Mitgliedern des hohen Adels darunter!

Und dieser selbe Gedanke, dieselbe Hoffnung, vielleicht im Verein mit dem Wunsche, Rubens und van Dyck in Flandern zu studieren, führt ihn einige Jahre nach diesem Aufenthalte in Reims zum Kongreß von Cambrai, der, schon seit 1720 angekündigt, im Januar 1724 eröffnet wird; es war ein großer Kongreß, zu dem alle Mächte Europas Abgesandte geschickt hatten, damit die durch den Frieden von Baden noch nicht geregelten Fragen zwischen dem Kaiser und Spanien eine endgültige Erledigung fänden; ein großer Kongreß, wo in der langen Zeit, durch die die Versammlung sich hinzog, „die Köche schließlich mehr zu tun hatten als ihre Herren", um mit Saint-Simon zu reden; ein

von den Gold- und Seidenstoffen der damaligen
Diplomatie strotzendes Lager, dessen Prunk und dessen
höchst kostspieliges und wahnwitziges Wetteifern, wer
sich die meisten Karossen, Galakutschen und Pracht-
geschirre, die meisten Kavaliere, die reichsten Kleider
und Livreen aller Art würde leisten können, fast zur
Aufstellung eines Reglements für die Ehren des Emp-
fanges und die Rangordnung der Botschafter von
ganz Europa führten. Der Ort gewährte bei dieser
Gelegenheit allen Luxusgewerben gute Aussichten. Bei
der Sucht, so glänzend wie möglich aufzutreten, bei
der Leichtigkeit, mit der das Geld aus den Taschen
floß, in dem bunten, eleganten Treiben dieser Gesellschaft konnte es für einen Maler kaum schwer sein,
Geld und Beachtung einzuheimsen. Ein Talent mußte
da wohl bald anerkannt und gepriesen werden. Kaum
hatte La Tour ein paar Porträts gemacht, als ihre Ähnlichkeit jedem den Wunsch eingab, sich von dem jungen
Künstler malen zu lassen. Er malte die Gattin des
spanischen Botschafters. Als der Gesandte Englands
ihm anbot, ihm in seinem Londoner Hause eine Wohnung
anzuweisen, ging er mit nach England. Der hohe Schutz,
unter dem er dort eingeführt wurde, sicherte ihm
schnellen Erfolg. Er scharrte eine ganze Menge Guineen
zusammen, und nach einem ziemlich kurzen Aufenthalte reiste er nach Paris zurück mit den Keimen
eines echten Talents und einem Sümmchen Gold, das
ihm in seiner weitern Ausbildung einige Freiheit
sicherte. Da er jedoch fürchtete, die Vorteile seiner
Londoner Erfolge zu verlieren, so hatte der ver-

18

schmitzte Picarde, der die Neigung des Menschen im allgemeinen und der Franzosen im besonderen zur Bewunderung fremder Talente sehr wohl kannte, die geistreiche Idee, die beginnende Anglomanie des Jahrhunderts auszubeuten: er gab sich für einen *englischen Maler* aus und trat überall als ein solcher auf.

•

3

La Tour malte seine Porträts in Pastell. Die Reizbarkeit seiner Nerven und seine zarte Gesundheit hatten ihn gezwungen, das Malen in Öl aufzugeben[1]). Indem er sich der Malerei mit farbigen Stiften widmete, worin er seinen Genius entdecken sollte, folgte er seiner Zeit. Er gehorchte jener Mode, die im Frankreich des achtzehnten Jahrhunderts die Vorliebe für die französischen Kreidezeichnungen des sechzehnten Jahrhunderts wieder zu beleben und zu erneuern schien. Und wer weiß, ob seinem Beruf nicht ein festigender Einfluß zuteil wurde durch den vorübergehenden Aufenthalt der Rosalba in Paris, in den Jahren 1720 und 1721?

---

[1]) Die Sammler werden, wie wir glauben, wohl darauf verzichten müssen, Ölgemälde von La Tour zu sehen oder zu kaufen. Es existiert keine einzige glaubwürdige Probe, die zum Vergleich herangezogen werden könnte. Die in Öl gemalten Köpfe im Museum zu Saint-Quentin zeigen nichts, was die Berechtigung gäbe, sie La Tour zuzuschreiben. Eine in seiner Heimat umlaufende Legende möchte ihm gern ein Ölgemälde zuerteilen, das sich im Besitz Rigaults befindet: das Bildnis einer Dame im schwarzen Spitzenmäntelchen auf einem roten Kleide mit fingerlosen Handschuhen aus feinem Satin an den Händen. Drei winzige Pinselstriche auf dem einen kleinen Finger, die entfernt an Pastellstriche erinnern, genügen kaum, das Bild auf den Namen La Tours zu taufen. Dieses Porträt, das weder irgendeine Signatur des Künstlers trägt, noch die Empfehlung einer hinreichend beglaubigten Tradition für sich hat, ist übrigens ein recht gewöhnliches Machwerk in der Art jener, die wir täglich auf den Auktionen einem Chardin oder einem Tocqué zugewiesen sehen.

La Tour hatte Zeuge sein können jenes Triumphes, den die Pastellmalerei errang, jenes Glückes, das die Venetianerin an ihre bunten Kreidestifte zu fesseln vermochte; der Regent hatte sie besucht, die vornehmste Gesellschaft bemühte sich um sie, sie wurde von Geld und Aufträgen fast erdrückt, und die einflußreichsten Damen am Hofe, die Parabère und die de Prie baten sie inständig um ein Porträt; diese Kunst hatte sie entzückt, weil sie der Frau ein eigenartiges, nebelhaftes Leben verlieh, eine Ähnlichkeit leicht wie ein Hauch mit einer köstlich blühenden Farbe. Wie dem auch sei, La Tour zog schnell Vorteil aus dieser Popularität, zu der Rosalba dem Pastell verholfen hatte. Mariette sagt: „Er brauchte wenig Zeit zu seinen Porträts, ermüdete seine Modelle keineswegs, zeigte sie ähnlich, war nicht teuer. Der Andrang war groß. Er wurde der *Allerweltsmaler*."

Um diese Zeit waren einige Porträts, die er für die Familie de Boullongne gefertigt hatte, dem ersten Hofmaler des Königs, Louis de Boullongne vor Augen gekommen. Dieser Mann entdeckte sofort unter der oberflächlichen Mache das angeborene Talent, das einem Porträtisten das Gefühl für Ähnlichkeit in die Hand legt; er wünschte La Tour persönlich kennen zu lernen, ermunterte ihn und versprach ihm bei fleißigem Arbeiten eine Zukunft. Und war es nicht die Stimme dieses selben Boullongne, die in die lauten und einstimmigen Lobpreisungen eines Porträts, das der junge Maler soeben beendet hatte, den ernsten Rat warf: „Zeichnen Sie, junger Mann, zeichnen Sie lange Zeit!"

20

Ein großes Wort, das La Tour vor der Neigung zum Handwerksmäßigen bewahrte. Mit Verzicht auf Gewinn und oberflächliche Erfolge widmete er sich zwei Jahre lang, von allem abgeschlossen, ohne zu malen, dem Studium der Zeichnung; und nach diesen beiden Jahren unablässiger Arbeit an sich selbst, nach weiteren mühevollen Jahren, die ihm den freundschaftlichen Rat und die uneigennützige Hilfe eines Largillière und Restout schenken[1]), erscheint er als der ganz große Zeichner, als der größte, stärkste, gründlichste der ganzen französischen Schule, als der Physiognomiker schlechtweg; er erscheint als jener völlig neue Pastellmaler, der sich zu den machtvollsten, solidesten, energischsten Wirkungen erhebt mit diesen zarten und schmeichelnden Stiften, die, wie es schien, doch nur dazu geschaffen waren, das Fleisch einer Frucht, den Samt einer Schale, den Hauch der duftigen Kleidung der Zeit auszudrücken, er erscheint als der schöpferische Pastellmaler, der aus dieser Frauenkunst, die sich bisher hauptsächlich an die Frau wandte, aus den Zeichnungen der Rosalba,

---

[1] „...... Er gestand mir, daß er den Ratschlägen Restouts unendlich viel zu danken habe. Restout sei der einzige Mensch von Talent gewesen, der ihm als echt und unmittelbar fördernd erschienen sei, der Maler, der ihn gelehrt habe, einen Kopf plastisch hervortreten und zwischen dem Gesicht und dem Hintergrund die Luft fließen zu lassen, durch Reflektieren der beleuchteten Seite auf den Hintergrund und des Hintergrundes auf die beschattete Seite; und es habe ihn, mag es nun der Fehler Restouts oder sein eigener gewesen sein, die denkbar größte Mühe von der Welt gekostet, dieses Prinzip zu erfassen, trotz seiner Einfachheit; denn wenn der Reflex zu stark oder zu schwach sei, gäbe man im allgemeinen nicht die Natur wieder; zeichne man aber sehr weich oder sehr hart, dann sei es eben aus mit der Wahrheit oder mit der Harmonie." *Le Salon de* 1769, von Diderot, veröffentlicht von Walferdin, *Revue de Paris. September* 1847.

21

aus dieser nur halb festgehaltenen, flüchtigen, dem
Blütenstaube der Anmut vergleichbaren Malerei
gaukelnder Koketterie eine reife, kühne und ernste
Kunst zutage fördert und wachsen läßt, eine Malerei
mit einer solchen Kraft des Ausdrucks, mit einem
solchen Relief und von so täuschend lebendiger
Wirkung, daß es ihr gelingt, jede andere Technik zu
bedrohen und anzufechten und daß einen Augenblick
lang sich sogar die Pforten der Akademie aus Furcht
dem Genre des Meisters verschließen[1]).

4

Im Jahre 1737 begann La Tour auszustellen. Gleich
auf dieser ersten Ausstellung wird er beachtet und
anerkannt: der *Mercure* berichtet über die Wirkung
seiner Beiträge auf das Publikum.

---

[1]) Die Akademie beschloß, keine Pastellmaler mehr aufzunehmen.
Lettre sur la peinture, la sculpture et l'architecture, 1749. Nach diesem
Beschluß verläßt ein Pastellmaler namens Loir die Malerei und geht zur
Bildhauerei über. Es ist dieser Loir und nicht La Tour, der bereits eine
Porträtbüste Vanloos und eine kleine Figur des Marsyas modelliert hatte.
Réflexions nouvelles d'un amateur des beaux-arts. — Je größer die Erfolge
La Tours wurden, um so deutlicher traten diese Regungen von Feindseligkeit und Eifersucht gegen das Pastell zutage. *Le Jugement d'un amateur
sur l'exposition des tableaux* sagt im Jahre 1753: ,,La Tour hat die Pastellmalerei in einer Weise betrieben, daß die Befürchtung nahe liegt, er könne
der Ölmalerei keinen Geschmack mehr abgewinnen." In demselben Jahre
beklagt sich der *Salon* darüber, ,,daß man bei Porträts das Pastell so sehr
bevorzuge"; und der Kritiker richtet einen heftigen Angriff gegen das Pastell,
die grelle Wirkung seiner Farben, die Stumpfheit der mehligen Staubschicht,
den ,,harten und unangenehmen Strich, vor dem weder Kunst noch Talent
schützen. Allerdings gibt ihm die Glasscheibe gewissermaßen einen glänzenden Firnis, aber sie verkleidet doch nur die Mängel, ohne sie zu beseitigen. Sie verhindert nicht, daß sich die körnige Kreide in der Folge ab-
lösen und daß der samtartige Reiz der Malerei allmählich verschwinden
kann. Der Geist, der die Pastelle La Tours beseelt, wirkt überwältigend."

22

Im nächsten Jahre bleibt die durch die Ausstellung flutende Menge vor zwei Porträts stehen, die La Tour packend wahr gestaltet hat, und deren Vortrefflichkeit der *Mercure* kurz und bündig dadurch bezeichnet, daß er sie mit einem Sternchen versieht, womit er sämtliche ganz besonders hervorragenden Stücke im Salon anmerkt. Das Publikum schaut erst das Bild des Akademieprofessors Restout an, der zeichnend dargestellt ist, und geht dann zu dem reizenden Porträt des Fräuleins de la Boissière, das wir in Petits Stich wiederfinden, mit ungezwungener, natürlicher Haltung und, wie die Zeit sich ausdrückte, „künstlerisch vernachlässigt": der Kopf mit niedriger Frisur ist unbedeckt, über das kluge, spöttische Gesicht huscht ein leises Lächeln, die schwarzen Augen schauen aufgeweckt drein, kurz, das Ganze ist ein entzückender Typus pikanter Häßlichkeit in der Hülle jener Toilette à la polonaise, aus Seide, Pelzwerk und Spitzen, die der Pastellmaler besonders liebt; die Ellbogen stützen sich auf ein steinernes Fensterbrett, und die beiden Hände sind in einem kleinen Muff versteckt, der, wie der Verfasser des *Briefes an die Marquise S. P. R.* sagt, imstande wäre, auch den zerknittertsten Frauengesichtern einen gewissen Reiz zu verleihen.

Im Jahre 1739 war das bekannteste der Bilder, die La Tour auf die Ausstellung geschickt hatte, der Pater Fiacre, der Bettelmönch der Patres von Nazareth, eine in den weitesten Kreisen bekannte Persönlichkeit; alle Pariser Kinder liefen in den Salon, um ihn anzuschauen; „ein Porträt von geradezu irritierender Ähnlichkeit",

23

rief ein Kritiker aus. Eine neue Seite dieses Maler-
talentes enthüllte sich da: vor diesem alle Symptome
seines Standes und alle Kennzeichen seines Kleides
tragenden Menschen reifte im Publikum die Würdigung
einer ganz besonderen Fähigkeit im künstlerischen
Wesen La Tours heran; man fing an, zu erkennen, daß
er fähig war, die Beschäftigung, den Stand, den sozialen
Charakter seiner Personen in seiner Malerei zum Ausdruck zu bringen. Und der Erfolg seiner Ausstellungen
im Salon führte dazu, daß man ihn wenige Monate
später berief, die Mätresse des Königs, Frau von Mailly,
zu malen.

Im Jahre 1740 errangen ihm drei Pastelle einen
Triumph. Die Zeitungen sprachen von einem Ausbruch
lauter Bewunderung.

Im Jahre 1741 erschien La Tour, eifrig darauf
bedacht, sein Genre bedeutender zu gestalten und seine
Grenzen zu erweitern, mit einem komponierten Porträt,
das allen seinen übrigen Werken an Ausdehnung überlegen ist. Er zeigt auf einem großen Pastell, einem
Gemälde, wie es im Katalog des Salons benannt ist, den
Präsidenten Rieux; er trägt einen schwarzen Talar und
ein rotes Amtskleid, sitzt in seinem Arbeitszimmer auf
einem purpurnen Samtsessel vor einem Wandschirm und
hat zu seiner Rechten einen Tisch stehen, auf dem eine
Decke aus blauem Samt mit reichen Goldfransen liegt;
ein großes, stattliches Bild, das, als Ganzes genommen,
wie auch in allen seinen Einzelheiten unbedingt zur
Bewunderung herausforderte: die Perücke, der Kragen,
die Spitze, das lockere Haar, die Feinheit des Gewebes

24

Maurice Quentin de La Tour   Selbstbildnis

und der Plättglanz der Wäsche, die Zartheit und das kaum auszudenkende Muster der Spitze, alles das war so deutlich herausgearbeitet, daß man es förmlich fühlte. Das war nicht mehr Pastellmalerei, das war plastisch wie „Porzellan; Herr von La Tour besitzt augenscheinlich das Geheimnis der Manufakturen". Die Tabatière auf dem Tisch, eine sogenannte *Maubois entrelassée* und eine Feder mit einem Tröpfchen Tinte in der Spitze wurden für das letzte Wort künstlerischer Täuschung erklärt. „Ein unschätzbares Meisterwerk," sagten Kritiker und Publikum, und es war das Gerücht verbreitet, der Rahmen und das Glas allein hätten fünfzig Louis gekostet.

Im Jahre 1742, als zwei Versstücke im *Recueil* Maurepas, sein schönes Porträt des türkischen Botschafters feierten, übten seine Pastelle dieselbe große Anziehungskraft aus. Man belagerte sie, konnte sich nicht von ihnen trennen, kehrte immer wieder zu ihnen zurück. Die Neugierde konnte sich nicht satt sehen an dem Bildnis von Fräulein Sallé[1]), „im Hauskleide", an diesem intimen Porträt, das die berühmte Tänzerin in einem bequemen und geschmackvollen Negligé zeigt. Mit der Wahrheit und Einfachheit einer ungezwungenen, gewöhnlichen Haltung sitzt sie auf einem grünen Damastsessel, „hat die Arme nebeneinander gelegt und berührt mit den Händen leicht die Ellbogen"; sie trägt keine Handschuhe, und das Kleid ist rosafarben.

---

[1]) Dieses Porträt, 1741 im *Mercure* beschrieben, wurde zweifellos auch in jenem selben Jahre ausgestellt, ohne im Katalog erwähnt zu sein; wahrscheinlich ist es, wie so manche anderen Pastelle La Tours, erst nach dem Druck des Büchleins in die Ausstellung gelangt.

25

Dieses Jahr hatte noch einen Begeisterungsausbruch zu verzeichnen, der bei Pesselier einen ganzen Schwarm von Versen zu Ehren La Tours entfesselte.

Mit jeder neuen Ausstellung, die ein neues Werk von La Tour aufzuweisen hatte, wuchs die Begeisterung; die in aller Munde laut geäußerte Bewunderung erstickte den Neid und die Eifersucht, den diese Art von Malerei bereits heraufbeschworen hatte; denn jetzt machte sie schon der Ölmalerei ernstlich Konkurrenz, raubte ihr diesen und jenen Kunden, schmälerte ihren Ruhm, entführte ihr Talente wie Coypel, der nur noch mit dem Farbstift malte und der anmutige Schöpfer eines Pastellporträts der Frau von Mouchy im Maskenkostüm wurde.

Im Jahre 1745 malte La Tour die Porträts des Königs, des Dauphins, des Staatsministers Orry und kam dadurch in unmittelbare Berührung mit dem Hof, mit jenem Versailles, wo er bald ungehindert Zutritt haben und seinen Launen ungeniert freien Lauf lassen sollte.

Im Jahre 1746 stellte er das Porträt Montmartels im Salon aus. Man könnte in der Tat jenen Finanzmann, den uns der Stich Cochins zeigt[1]), für den König

---

[1]) Wir müssen uns hier einen Augenblick mit einem Vermerk beschäftigen, der keinen der Biographen La Tours zum Nachdenken veranlaßt hat. Der Stich dieses Porträts trägt unten folgende Bemerkung: „Nur der Kopf nach La Tour, Kleidung und Hintergrund gezeichnet von C.-N. Cochin; von ihm auch die Anordnung des Ganzen." Das könnte, genau genommen, doch nur so verstanden werden, daß es sich um einen Stich handelt, dessen Kopf nach dem Original gearbeitet ist, während alles übrige auf eine von Cochin gezeichnete Abänderung zurückgeführt werden müßte. Wir finden jedoch auf einem anderen Porträt, das stehend in ganzer Figur den Mar-

des Geldmarktes seiner Zeit halten, wie er ruhig und majestätisch dasitzt, mit stolzem und kaltem Blick, einem großen und zugekniffenen Mund, vollwichtig und gespreizt, mit gekreuzten Beinen, in dem heiteren und sicheren Genuß der Million, ein wenig zurückgelehnt in seinem vergoldeten Lehnsessel, mit prall anliegenden Strümpfen und einer Brokatweste, die sich über ein rundes Bäuchlein spannt, die in Manschetten aus Valencienner Spitzen steckenden Hände in satter Ruhe auf den reichen Verbrämungen seines Anzugs. Und in welch prächtiger Fassung thront er! Um ihn herum dreht und windet sich alles in üppigster Verschwendung; der erdrückende Glanz des Rokoko feiert in diesem

---

schall de Belle-Isle zeigt, folgendes: „De La Tour effigiem pinxit; Moitte, sculptor regis, tabulam integram delin. et sculp." Auch auf diesem Porträt ist der Kopf allein La Tour zugeschrieben. Diese beiden positiven Erwähnungen bestätigen, wenn man sie den wenigen Einzelheiten, die die Kritiker des Salons über diese beiden Pastelle gesagt haben, gegenüberstellt, zwei Pastelle übrigens, die verschollen sind und auf denen der Strich La Tours nicht mehr festgestellt werden kann, diese beiden Erwähnungen bestätigen, wie gesagt, unwiderleglich, daß diese beiden Porträts, zweifellos in der Größe seiner gewöhnlichen Köpfe oder Brustbilder, von fremder Hand für den Stich vergrößert und in der Anordnung überarbeitet worden sind. Obgleich wir aus dem Munde einer Tochter Lebas de Courmonts, eines Freundes La Tours, folgende Überlieferung gehört haben, welche die Dame ihrem Vater verdankte: La Tour habe immer nur den Kopf gemalt, die Kleider und Stoffe jedoch einem Spezialisten überlassen, so ist diese Beendigung seiner Pastelle durch einen anderen Pastellmaler oder Stecher im Werke des Meisters doch wohl nur eine ganz seltene und zufällige gewesen. Zum Beweise dafür haben wir die Gesamtharmonie, die Arbeit einer einzigen Hand auf seinen sozusagen geweihten Pastellen, das ansehnliche Lob, das die Zeit dem Porträtisten spendete für die feine, durchaus künstlerische Behandlung der Details, der Stoffe, der Nebensachen auf den Porträts Rieux' und der Pompadour, für jene wundervoll vorgetäuschte Wahrheit der Bücher, des Porzellans, kurz all der Dinge, mit denen der große Maler seine Figuren so geschmackvoll umgibt und denen er einen so persönlichen Strich zu geben versteht.

27

Kabinett überall Triumphe, auf dem Getäfel, auf den gewirkten Tapeten, auf jedem Schmuck in Gold oder Kupfer, auf den Skulpturen, auf den getriebenen Arbeiten, auf den üppig geschweiften und ausgekehlten Möbeln; kurz, das Auge erblickt nur Kunstschätze. Ein strahlendes Bild: der Reichtum hat wohl kein reicheres Porträt aufzuweisen.

Im Jahre 1747 beschickte der neue Akademiker[1]) den Salon mit elf Pastellen, die schon die mehr oder minder allgemeine Bekanntheit der dargestellten hochstehenden oder viel genannten Persönlichkeiten dem Interesse empfahl. Das Porträt des Abbé Le Blanc wurde als eins der markigsten, das Mondonvilles als eins der anziehendsten bezeichnet. Man entdeckte an dem letzteren, der zu lauschen schien, ob seine Violine richtig gestimmt sei, eine wunderbare Natürlichkeit in der Haltung, einen sprechenden Ausdruck und auflodernde Augen, worin sich die Ungeduld der Inspiration und das Genie des Musikers verriet.

Im Jahre 1748 stellte La Tour noch zahlreicher aus. Das Verzeichnis seiner Pastelle begann wie die erste Seite des Hofkalenders: Der König, die Königin, der Dauphin. Und die Porträts der Königin, des Herzogs von Belle-Isle und des Herrn Dumont Le Romain in seinem gestreiften Hausanzug wurden zu den schönsten Pastellen gezählt, die er bisher geschaffen hatte.

----

[1]) La Tour war am 27. Mai 1737 als Lehrer an der Akademie zugelassen worden, seine feierliche Aufnahme als Akademiker fand am 24. September 1746 statt, und am 27. März 1751 wurde er zum Rat ernannt. Mitgeteilt von Duvivier.

28

Im Jahre 1750, wo Verse des *Mercure* uns melden, daß La Tour ein Porträt der Sylvia auf der Staffelei hatte, verhalf ihm die Ausstellung im Salon zu einem Siege, und zwar zu einem Siege über einen Nebenbuhler, den seine Überlegenheit als Zeichner mit einem Schlage auf den zweiten Rang verwies. Es gab da einen Pastellmaler, der seit kurzem von der Akademie angenommen worden war und dessen Pastelle seit 1746 La Tour beunruhigten. „Er fürchtete," sagt Diderot, „daß das Publikum nur durch einen unmittelbaren Vergleich den Abstand, der sie voneinander trennte, wahrnehmen könnte." Und da verfiel La Tour auf eine recht boshafte Idee: er forderte seinen Rivalen auf, ihn zu malen. Doch dieser lehnte aus Bescheidenheit ab. Aber La Tour ließ nicht locker, drängte und drängte und bestimmte schließlich den ahnungslosen Künstler, ihn, den Meister, in schwarzem Überrock zu malen. Während jener arbeitete, machte sich La Tour heimlich daran, sich selbst zu malen. Die Eröffnung des Salons kam heran. Perroneau, das war der Kandidat, stellte das Porträt des Meisters aus, einen La Tour in schwarzem Überrock und rosafarbener Weste mit Goldbesatz, mit einer Hand im Spitzenjabot, ein sehr schönes und feines Porträt, das sich heute im Museum zu Saint-Quentin tapfer neben allen Pastellen seines großen Rivalen behauptet. La Tour indessen scheint, als er zu diesem Porträt saß, böswilligerweise den Tag nach einer Lustbarkeit gewählt zu haben[1]), wo er ein Abgespanntsein

---

[1]) Ein seltenes, so gut wie unbekanntes Buch der Zeit, das einen religiösen La Bruyère des achtzehnten Jahrhunderts enthüllt, *L'École de*

29

kaum unterdrücken konnte; sein noch junges, schlaues und geriebenes Gesicht sieht auf diesem Bilde stumpf und übernächtig aus, und sein Teint und seine Augenlider sind gerötet wie die eines Roués. Da platzte mitten in diesen Erfolg Perroneaus ein Porträt La Tours von La Tour hinein[1]). La Tour hatte mit Chardin verabredet, sein Selbstbildnis unmittelbar neben das Porträt im schwarzen Überrock zu hängen. Durch diese Nachbarschaft wurde Perroneau tot gemacht. La Tour hatte einen Schelmenstreich verübt. Perroneau erholte sich übrigens wieder davon. Denn es beruht nicht auf Tatsache, daß er sein Vaterland verließ und nach Dänemark auswanderte, wie die Biographen La Tours versichern. Er blieb in Frankreich, und die Salons von 1751, 1753 und 1755 zeigen ihn uns in hohem Ansehen. Er scheint inzwischen der offizielle Maler der Damen von der Oper geworden zu sein, der *Demoisillons* mit

_____

l'Homme, 1752, richtet bei dieser Gelegenheit folgendes bittere Epigramm an La Tour: „Wenn Du Dich malst, ehrgeiziger *Toural*, dann, rate ich Dir, wähle den richtigen Augenblick; wenn Du guter Laune bist, wenn Deine Augen glänzen, wenn Dein Gesicht frisch und farbig ist, nicht lange gezögert, frisch drauf los, male Dich! Heute dagegen macht eine Abgespanntheit, vielleicht eine Folge schlafloser Nächte, Deine Züge matt, Deine Augen drückt ein grausames Kopfweh, Du siehst aufgeschwemmt, fast unkenntlich aus. Nun also! Worauf wartest Du? Kann es einen geeigneteren Zeitpunkt geben, ein Porträt malen zu lassen, das nicht eine Spur von Ähnlichkeit mit Dir haben wird? Laß ihn Dir nicht entschlüpfen; lauf zu Deinem Rivalen, eine bessere Gelegenheit, unbemerkt gegen ihn zu arbeiten, kommt Dir sobald nicht wieder: laß Dich malen und scheue keine Kosten!"

[1]) Dieses Porträt ist nicht das 1742 ausgestellt gewesene Porträt La Tours, worauf ein breitkrempiger Hut die Hälfte des Gesichts beschattet und die übrige Figur vom Licht getroffen wird. Es ist auch nicht jener lachende La Tour, der 1737 ausgestellt war und von Schmidt 1743 der Öffentlichkeit übergeben wurde. Es ist ein Porträt, das zu den vier anonymen Köpfen auf der Ausstellung von 1756 gehörte.

30

verschleierten Kosenamen, die im Katalog Fräulein Rosalie und Fräulein Silanie genannt werden. Gleichzeitig zogen ihn einige Prinzessinnen, wie zum Beispiel die Prinzessin von Condé, dem La Tour vor. Schließlich bestellten Akademiker, wie Lemoine, Adam und Oudry ruhig weiter bei ihm ihre Porträts oder die ihrer Frauen. Und man täte sehr unrecht, wollte man diesen Jünger des Meisters zu einer gar so kleinen Erscheinung neben La Tour herunterdrücken: auf jenem Porträt eines Mannes in grauem Rocke, das im Louvre von ihm erhalten ist, verraten die reizvolle Technik der Striche, die Fähigkeit, damit zu modellieren, die künstlerische, ungezwungene und geistreiche Arbeit, der an Correggio erinnernde grünliche Ton in den Halbschatten, von dem sich gesunde Farben und ein rosiger Hauch auf Stirn, Nase, Wangen und Kinn abheben, kurz, das lachende Leben des ganzen Kopfes einen Künstler, den zu fürchten La Tour allen Grund hatte, und der hinter ihm herwandelnd ihn oft hätte erreichen müssen[1]).

Im Jahre 1753 zeigte sich das Publikum, so sehr es auch an die Fruchtbarkeit La Tours im Hervorbringen von Meisterwerken gewöhnt war, denn doch ein wenig überrascht, als es sah, daß er achtzehn Bildnisse ausstellte. In dieser stattlichen Galerie reizte die Schaulust des großen Publikums am meisten ein Bild Rousseaus, der sich mit seinem Maler beinahe ernstlich erzürnt hätte, weil er, wie Fréron sagt, sich gar zu

---

[1]) Als Kolorist ist Perroneau wohl La Tour überlegen. Seine Pastelltechnik ist von der hellfarbigen englischen Schule, namentlich von Reynolds beeinflußt, und ich kenne kaum etwas, was so unmittelbar entzückend wirkt, wie das Bildnis eines kleinen Burschen im Besitz Groults.

31

weich und bequem auf einen Sessel gesetzt fand, der
aus feinem Flechtwerk gearbeitet war und dessen
Leisten Metallbeschläge schmückten: eine gewöhnliche
Bank, ein Stein oder gar die harte Erde, das wäre nach
seinem Geschmack gewesen[1]). Die Sammler und Kunst-
liebhaber gaben dem Porträt der Frau Lecomte, der
Mätresse Watelets, den Vorzug; sie hielt in der einen
Hand, die fast aus dem Rahmen zu treten schien, ein
Notenblatt, und der in das Bild hinein sich verlierende
Arm zeigte ein Helldunkel und eine Farbe, die aus-
sahen, als wären sie in Öl gemalt. Sie priesen auch das
Porträt Silvestres sehr hoch; La Tour hatte es in einer
Manier gearbeitet, mit der er sich wohl hauptsächlich
an den Geschmack der Maler wenden wollte. Denn
fast in seinem ganzen Schaffen und auf jeder Ausstellung enthüllt die Technik LaTours zwei verschiedene
Seiten: die eine war für das Publikum bestimmt, die
andere für die Künstler, die eine sorgfältig ausgeführt,
die andere frei und kühn. Darauf ist schon 1741 hingewiesen worden, als der Kontrast in der Ausführung
zwischen dem Präsidenten Rieux und dem Neger so
deutlich zutage trat; und 1746, als neben dem Restout,
diesem mit kräftigen, rohen Strichen angelegten und

---

[1]) Dieses Porträt, worin Diderot, wie er sich ausdrückte, nur den
geschniegelten und gebügelten Verfasser des *Devin de village*, ziemlich lächer-
lich auf einen Sessel gesetzt, sah, war zuerst für Frau von Epinay bestimmt
und wurde dann von Rousseau der Marschallin von Luxembourg geschenkt.
La Tour machte von Rousseau noch ein zweites Bild, wogegen Rousseau
nichts einzuwenden hatte und wofür er La Tour mit folgenden Worten
dankte, „daß dieses wundervolle Porträt ihm gewissermaßen Achtung vor
dem Original einflöße". Eins dieser Bildnisse befindet sich in Saint-Quentin,
das andere soll nach Mantz bei dem Genfer Coindet sein.

32

Maurice Quentin de La Tour   Der Herzog von Burgund

auf fast brutale Wirkung berechneten Gesicht der Paris-Montmartel mit seiner weichen, sauber verschmolzenen Arbeit hing. Ungefähr um diese Zeit, seit dieser Ausstellung etwa, begann die künstlerische Manier im Schaffen La Tours zu überwiegen; und im Salon dieses Jahres stellt auch die Kritik fest, daß sich der Maler selbst in seinen Frauenporträts außerordentlich zur Anwendung dieser weniger weichen und weniger duftigen Technik hingezogen fühlt.

5

La Tour hat jetzt die höchste Stufe des Glückes in der Kunst erreicht. Er ist bekannt, gefeiert, im Vollbesitze seiner Berühmtheit. Er gehört zur feinen Welt, bewegt sich in der vornehmsten Gesellschaft, erfreut sich des besten Umganges und nimmt an den Montagsdiners der Frau Geoffrin teil, wo Mariette ihn Jahre hindurch beständig trifft. Er zählt zu jenem lustigen Opernvölkchen, zu der liebenswürdigen Gesellschaft des Herrn de la Popelinière, die sich in seinem gastlichen Hause zu Passy trifft. Er gehört zum intimen Kreise des Ministers Orry. Er hat die entzückendsten und schmeichelhaftesten Beziehungen, Verbindungen mit Grandseigneurs, mit Schriftstellern und Gelehrten. Er wohnt im Louvre, denn die alte Monarchie hatte diesen Palast zu einer königlichen Herberge der Kunst gemacht, und sein Atelier mit der Nummer 8[1]), das neben seiner Wohnung liegt, sieht das ganze berühmte Jahrhundert kommen und gehen: Nollet, seinen lieben

---

[1]) Diese Wohnung wurde La Tour im Jahre 1750 bewilligt.

33

Nachbarn, Crébillon, den Abbé Hubert, dessen Unterhaltung er so sehr liebte; den Sieger von Fontenoy, dem er nach einem unverbürgten Bericht der Biographen die auf seinen Namen bei den Landständen von Artois eingetragene Pension von 200000 Livres zugute kommen ließ; Paulmy d'Argenson, Mondonville, Buffon, la Condamine, Duclos, Helvétius, Dupuis, d'Alembert, Diderot, alle Mitarbeiter der Enzyklopädie, die ganze Akademie der Philosophen; Restout, den er „seinen Meister" nannte, den Bildhauer Lemoyne, der seine Büste gemacht hat[1]), Largillière, der ihn in seinen Anfängen ermutigt hatte, Pajou, dessen Hochzeit er als Trauzeuge beiwohnte, Rigaud, dessen Eifersucht er besiegte und der nach seinem Pastell Ludwigs XV. sich um seine Freundschaft bemühte, Gravelot, der ihm die Umrahmungen für seine gestochenen Porträts zeichnete, Carle Vanloo, Pigalle, Vernet, Parrocel, Greuze. Er verdient so viel Geld wie er will. Um seinen reich besetzten Tisch versammelt er täglich Landsleute, Freunde, mit denen er nach dem Mittagessen im Jardin de l'Infante spazieren geht. Mitten in dieser ruhig genossenen Wohlhabenheit, in diesem Dasein mit dem Stempel einer reichen Schlichtheit, in diesem lebhaften Verkehr mit allen Zierden und allen Talenten der Zeit verrät uns ein Schreiben von Freundeshand, ein Briefchen des Abbé Le Blanc, wie der Künstler sein Atelier verläßt und die Welt der

---

[1]) Auf einem der Diners bei Lemoyne, wo Le Kain, der Advokat Gerbier, Grétry verkehrten, machte Frau Le Brun die Bekanntschaft La Tours. Siehe ihre *Mémoires*.

34

Kulissen aufsucht, um dort Erholung von seiner Arbeit zu finden, entweder auf fröhlichen Landpartien mit den Schauspielerinnen oder bei lustigen Soupers und reizenden Abendgesellschaften, woraus dann jene Leidenschaft entsprang, welche diesem Junggesellenleben einen Inhalt geben und später den Achtzigjährigen veranlassen sollte, den letzten Wein, den er trank, dem Andenken seiner Geliebten zu weihen. Diese Frau war eine Sängerin, um deretwillen der Dichter Cahusac als Irrsinniger in einer Zelle zu Charenton starb, aus Kummer, sie nicht geheiratet zu haben; um deretwillen der Chronist Grimm von jenem seltsamen, krankheitsähnlichen Liebesweh befallen wurde, von der Lethargie, die Rousseau schildert; sie war die Sängerin, welche die Colette im *Devin de village* kreierte, die Sängerin mit der leicht beschwingten Stimme, die Sängerin mit dem „Silberglockenklang" in der Kehle. Wenn man Fräulein Fel nennt, hat man die große und dauernde Liebe La Tours zum Ausdruck gebracht. Wir finden ihr Bild im Museum zu Saint-Quentin; ein eigenartiger Kopf von naivem Reiz, der sich in dieser Galerie von Frauen des achtzehnten Jahrhunderts fremd und sozusagen entwurzelt zu fühlen scheint mit dieser keuschen Stirne, den schönen Augenbrauen, dem schmachtenden Ausdruck der großen schwarzen Augen, unter den Wimpern in den Winkeln so samtweich, der griechischen Nase, den regelmäßigen Zügen, dem schlaffen Munde, dem langen Oval, — kurz, mit dieser ganzen exotischen Physiognomie, die einen so trefflich krönenden Abschluß in der Haartracht findet, in diesem

3 •   35

mit Goldborte gesäumten Schleiertuch, das die Stirn quer durchschneidet, über dem rechten Auge herabfällt, eine Schläfe umkost und über dem auf der andern Seite festgesteckten Blumensträußchen wieder hinaufgeht: so etwa stellt man sich eine im Skizzenbuch eines Liotard aus dem Orient mitgebrachte Levantinerin vor, oder auch die Haidee des Don Juan.

La Tour ist reich, ist verliebt, ist glücklich. Mit diesem Behagen am Dasein, mit dieser Fähigkeit und Bereitwilligkeit zum Genießen erscheint er auf dem von Schmidt gestochenen Selbstporträt; er hat sich darauf in seinem bequemen und malerischen Atelierrock dargestellt, sagt eine Notiz im *Mercure* von 1743, und seine Gebärde deutet an, daß er sich über den an der Tür vergeblich schellenden Abbé Hubert[1] lustig macht.

---

[1] Über den Abbé Hubert, nicht über den Abbé Le Blanc. Denn trotz der nachdrücklichen Versicherung von Bucelly d'Estrées, daß La Tour großen Gefallen an der Unterhaltung mit dem Abbé Hubert fand, gab es Tage, wo er dem Maler ungelegen kam oder ihn ermüdete. Das beweisen ziemlich deutlich zwei Beschreibungen, die Schmidt im Katalog seines Werkes von den zwei Porträts, die er nach La Tour gestochen hat, gibt:

„Nr. 50. Das Porträt La Tours. Brustbild; er schaut aus einem Fenster, worauf er sich stützt, und zeigt mit der linken Hand auf eine geschlossene Tür, die man im Hintergrunde sieht; er lacht. Hinter ihm steht eine Staffelei. Folgende Veranlassung gab ihm die Idee, sich in dieser Stellung zu malen. Zu den Freunden des Herrn von La Tour zählte ein Abbé, der ihn sehr häufig besuchte und oft einen Teil des Tages bei ihm zubrachte, ohne inne zu werden, daß er ihm bisweilen lästig fiel. Eines Tages hatte unser Maler, der sich mit der Absicht trug, ein Selbstporträt zu beginnen, die Tür verriegelt, um allein bleiben zu können. Es dauerte nicht lange, da kam der Abbé und klopfte. Herr von La Tour, der das Pochen hörte und mit dem Zeichnen im vollen Zuge war, quittierte darauf mit der Gebärdensprache, die wir auf seinem Porträt sehen. Er scheint zu sich selbst zu sagen: „Da ist der Abbé, mag er pochen, soviel er will, ich öffne nicht." Diese Stellung hatte dem Maler gefallen, und er faßte den Entschluß, sich so zu malen."

36

Der auf diesem Bilde dargestellte Mensch, dieser La Tour, ist sozusagen die personifizierte Lebensfreude; überall an ihm dringt sie lachend durch, funkelt in den Blitzen seiner blauen Augen, zittert in der gesunden Sinnlichkeit seiner Züge, auf seinen schmalen Lippen, um seinen spöttischen Mund, auf seinem Gesicht voll heiterer Ironie. Auf diesem kraftvollen, festgefügten, klugen, rosig blühenden und spottbereiten Kopfe mit dem schon kahlen Schädel, auf dieser Demokritosmiene und diesem Scapingesicht weilt fast die Glückseligkeit eines Zynikers. Und es scheint, als ob sich bei dem Malerphilosophen die Physiognomie eines vergröberten, wohlgenährten, materiellen und fast satyrhaften Voltaires entwickelt.

6

Im Jahre 1755 stellte La Tour nur ein Bild aus: das fünf und einen halben Fuß hohe und vier Fuß breite Bildnis der Pompadour. Es ist das Pastellbild der Favoritin, das man im Louvre sieht.

— „Nr. 45. Das Porträt des Malers von La Tour in ovalem Format auf einer Staffelei. Brustbild; der Körper auf dem Stich nach links gewendet. Der Kopf, zu drei Vierteln von vorn gesehen, ist mit einer Perücke bedeckt, auf der ein breitkrempiger Hut sitzt, dessen Rand vorn etwas heruntergeschlagen ist. Er ist einfach gekleidet; vor der Staffelei steht ein Tisch, auf dem mehrere Bücher, eine Schachtel mit Pastellstiften und ein paar Blätter liegen; auf letzteren steht geschrieben: Maurice Quentin de la Tour, Hofmaler Seiner Majestät des Königs und Rat an seiner königlichen Akademie für Malerei und Skulptur. Hinter dieser Staffelei sieht man noch an der Wand das Bild jenes Abbés hängen, dessen wir unter Nr. 50 Erwähnung getan haben."

Und was für ein Bild ist das? Das Bild des Abbés Hubert, eine vollkommen erkennbare Darstellung des großen Bildes im Museum zu Saint-Quentin.

37

39

In einem Rock aus weißem Atlas, der mit goldenen Verästelungen, kleinen Rosenbuketten und andern Blumen bestickt ist und in einem sich am Halse öffnenden Oberkleide aus Silberstoff, mit großen Spitzenmanschetten und mit einer Reihe von Bandschleifen, deren Violett so blaß und zart ist wie eine lila Mohnblüte, am Mieder, sitzt die Pompadour auf einem Sessel, der mit Beauvaiser Brokat bezogen ist; in einer ungezwungenen Haltung, die den Rock ein wenig aufschürzt, ein Stückchen vom Spitzenunterrock und darunter zwei übereinander gekreuzte Füße in rosafarbenen Schuhen mit hohen Stöckeln sehen läßt. Ihre rechte Hand faßt ganz leicht und flüchtig ein Blatt eines Notenheftes, das sie mit der andern Hand hält; der linke gebogene Arm stützt sich auf eine Konsole. Ihr Haar ist ungepudert. Ihr Blick ist nicht im Notenheft; seine sanfte Zerstreutheit scheint ein Lauschen zu verraten, während ein leises Lächeln über ihre Lippen huscht. Hinter ihr sieht man eine blaue Stofftapete mit vergoldeten Leisten, die auf der einen Seite ein gemaltes Panneau umrahmen: man erkennt auf dem Bilde einen Zug Bauern auf einem Landwege. Auf einem Sofa neben ihr liegt noch ein Notenheft und darauf eine vielleicht noch nachzitternde Gitarre. Auf der Konsole, auf der ihr Ellbogen ruht, lassen ein paar Bände in Kalbleder auf den Umgang ihres Geistes schließen, weil sie wie Lieblingsbücher oder tägliche Freunde ihr unmittelbar zur Hand sind: es liegen dort der *Pastor fido* in der Elzevir-Ausgabe von 1659; die *Henriade*, die bei ihrem Tode als Nr. 721 ihrer Bibliothek

38

verkauft wurde; der dritte Band des *Esprit des lois* und der vierte Band der *Encyclopédie*. Neben einer Erdkugel liegt ein halb geöffnetes, mappenartiges Buch mit blauem Einband, der rückwärts die Aufschrift trägt: „Pierres gravées". Aus diesem Buche über geschnittene Steine ist auf die Konsole mit Goldfuß ein Stich herausgeglitten, an dessen unterem Rande man folgendes lesen kann: *Pompadour sculpsit*, und daneben: „Darstellung des Steinschneiders bei der Arbeit und verschiedener Instrumente, die dazu nötig sind". Auf der Erde zeigt eine Mappe mit blauen Bändern ein Wappen mit drei Türmen; sie enthält die Stiche der Pompadour.

Auf diesem Bildnis, das alle Kräfte La Tours lebendig gemacht und mit dem er sein Meisterwerk zu schaffen versucht hat, kann man das ganze große Streben des Porträtisten wahrnehmen. Anstatt mit seinem Modell Entführungsversuche nach dem Olymp, in eine mythologische Vergötterung zu unternehmen, wie es ein Nattier tat, richtet er sein Augenmerk darauf, ihm einen geschichtlichen Hintergrund und der Wirklichkeit eine gewisse Unsterblichkeit zu verleihen. Er deutet die Virtuosin an mit dem Notenblatte, das er ihr in die Hand gibt und dessen Musik, wahrscheinlich eine Opernmelodie aus dem Repertoire der Privatgemächer, er auf ihren Lippen verklingen läßt. Er macht die Mätresse kenntlich in der Haltung, in dieser zerstreuten und wegschweifenden Miene, mit dieser Wendung des Körpers, mit diesem ins Leere gerichteten Blick, mit dieser verstohlen nach der Seite zielenden Aufmerksamkeit, mit diesem etwa über das undeutliche

39

Geräusch einer im Innern gehenden Tür, über das erhoffte und erwartete Kommen des Königs freudig quittierenden Lächeln. Das ist jedoch noch nicht genug. La Tour bricht offen mit der französischen Tradition der Rigaud und Largillière, gibt die fliegenden und flatternden Allegorien, die hochtrabend gefalteten, reichen Vorhänge, die pomphaften Säulenhallen auf, verzichtet auf die ernsten und unbestimmten Hintergründe, die erfunden worden waren, um als banales Atrium für alle feierlichen Porträts zu dienen, und wagt die Revolution, die Person, die er darstellt, in den Rahmen ihres Lebens, in das Milieu ihrer Gewohnheiten zu setzen und auch die Folie ihrer Rolle zum Ausdruck zu bringen. Er verfällt zur Vervollständigung der Physiognomie eines Porträts darauf, die Physiognomie der Umgebung des betreffenden Menschen und das, was von seinem Charakter auf die Dinge um ihn herum übergegangen ist, zu malen. Wie er den Präsidenten Rieux in der würdevollen Tracht und in dem ernsten Rahmen des Justizbeamten dargestellt hat, wählt er für die Favoritin einen Raum, der durchaus ihr Gepräge hat, wo ihr Geschmack lebendig geworden ist in ihren Büchern, ihren Möbeln, ihren Stichen, wo der Reiz ihrer Herrschaft sich entfaltet und die Anklage entwaffnet. Der große und neue Porträtist hat offenbar danach gestrebt, dieses Mobiliar und alle übrigen Dinge, die nur die Figur der Pompadour zu begleiten scheinen, die Liebe der Kunst und die Freiheit des Geistes, die darin pulsen, mit einer Verherrlichung mit der künstlerischen Apotheose der Gedanken und Beschäftigungen,

40

des großen Verstandes und der Seele derjenigen zu füllen,
die Voltaire als Philosophin beweinen sollte[1]).

7

Dieses Bildnis der Favoritin ist mit einer köstlichen
Anekdote verknüpft, die für La Tour charakteristisch
ist. Als er nach Versailles berufen wird, um die Pompadour zu malen, antwortet er: „Sagen Sie der Gnädigen, daß ich auswärts keine Porträtaufträge annehme."
Einem seiner Freunde gelingt es endlich doch, ihn zur
Annahme zu bestimmen. Er verspricht also, am festgesetzten Tage bei Hofe einzutreffen, jedoch unter der
Bedingung, daß die Sitzung von niemand unterbrochen

---

[1]) Bis zu dieser Ausstellung hatte die Kritik für La Tour fast unein
geschränktes Lob im enthusiastischen Tone des Abbé Le Blanc. Kaum
daß ein Lieudé de Septmanville sehr ungerechterweise die Pastelle La Tours
tiefer stellt als die Pastelle der Rosalba und die harten, wie Email gleißenden
Pastelle Viviens. In diesem *Salon* beginnt die Kritik andere Seiten auf-
zuziehen; sie urteilt streng und scharf. Die *Seconde Lettre à un partisan
du bon goût* bestreitet die Ähnlichkeit der Marquise, findet, daß das Porträt
nicht vorteilhaft gestellt sei mit dem zur Seite gewendeten Kopf und dem
verlorenen Blick, daß die Tracht der ungepuderten, hinten hochgesteckten
Haare wenig reizvoll sei. Die Kritik wirft La Tour vor, ein Frauenporträt
zu sehr als das Porträt eines Philosophen aufgefaßt zu haben. Der Kritiker
ist unzufrieden mit der Zeichnung des Halses, der bei seinen unwahren Schatten den Kopf nicht mit dem Körper verbinde, und mit den Falten des
Rockes, dessen Stoff man nicht erkennen könne. Die *Réponse à une lettre
adressée à un partisan du bon goût* wirft La Tour vor, dem Original alle
Reize geraubt zu haben und schätzt das Porträt der Frau von Pompadour
weit geringer ein als das Selbstporträt des Malers. Die *Lettre d'un particulier
à un de ses parents* sagt, indem sie auf die unvorteilhafte Stellung des Kopfes
zurückkommt, daß der Maler, wenn er die Marquise den Kopf direkt auf
den Beschauer hätte richten lassen, „jenen unangenehm wirkenden langen
und breiten Reflex, der sich vom Ohr bis zum Schlüsselbein erstreckt",
vermieden haben würde; „da dieser Reflex die Rundung der Wange und
der Unterkiefer zu sehr hervortreten lasse, mache er das Modell älter als
es in Wirklichkeit sei".

41

werden darf. Kaum angekommen, wiederholt er der Favoritin seine Bedingungen und bittet um die Freiheit, es sich bequem machen zu dürfen. Man gestattet ihm das. Sofort öffnet er die Schnallen an seinen Schuhen, befreit sich von seinen Strumpfbändern und von seinem Kragen, nimmt die Perücke ab, hängt sie an einen Armleuchter, zieht aus seiner Tasche ein kleines Taftmützchen und setzt es sich auf den Kopf. „In dieser bequemen und malerischen Aufmachung beginnt unser Genie oder, wenn man lieber will, unser Original, das Porträt. Der treffliche Künstler hat vielleicht eine Viertelstunde gearbeitet, da tritt Ludwig XV. ein. La Tour sagt, indem er sein Mützchen lüftet: *Sie hatten versprochen, Gnädigste, daß die Tür geschlossen bleiben sollte.* Der König lacht gutmütig über das Kostüm und den Vorwurf des modernen Apelles und fordert ihn auf, fortzufahren. *Es ist mir unmöglich, dem Befehl Eurer Majestät Folge zu leisten,* erwidert der Maler, *ich werde wiederkommen, sobald die gnädige Frau allein ist.* Er erhebt sich, nimmt seine Perücke und seine Strumpfbänder, verschwindet in einem Nebengemach und murmelt fortwährend vor sich hin: *Ich mag nun einmal nicht unterbrochen werden.*

Das sind so die Umgangsformen La Tours. Der Modemaler ist gleichzeitig Sklave und Tyrann der Mode. Kein Maler hat gleich ihm seinem Jahrhundert die schroffe Rücksichtslosigkeit des Künstlers und die Willkür des Talents aufgezwungen. Selbst der König, dessen Mieter und Pensionär er ist, muß sein ungehobeltes Wesen mit in Kauf nehmen, als er sein Bildnis

42

von La Tours Hand haben will[1]). Der Porträtist macht die Pastelle der Töchter des Königs, der Mesdames de France, nicht fertig, um sie dafür zu strafen, daß sie zu anberaumten Sitzungen nicht erschienen sind. Die Dauphine kann das ihrige nicht erhalten, weil sie die Unklugheit besaß, den bereits festgesetzten Ort für die Sitzungen, Fontainebleau, gegen Versailles umtauschen zu wollen. *Mein Talent gehört mir!* sagte stolz La Tour. Mit den einflußreichsten und vornehmsten Damen vereinbarte er seine Bedingungen und setzte mit ihnen sozusagen Verträge auf; und verstieß man gegen die kleinste Klausel, so kam er einfach nicht wieder; nichts vermochte ihn zurückzubringen, das Bild blieb wie es war. Hatte man ihn endlich so weit, daß er einverstanden war, das Porträt zu malen, so entpuppte er

---

[1]) Als er nach Versailles befohlen wurde, das Porträt des Königs zu malen, führte man ihn in einen Raum, der von allen Seiten Tageslicht hatte. „Was soll ich denn in dieser Laterne machen!" rief La Tour aus. „Zum Malen kann ich das Licht nur von einer einzigen Seite brauchen!" — „Ich habe eigens diesen etwas abgelegenen Raum gewählt," entgegnete Ludwig XV., „um nicht abgelenkt und gestört zu werden." — „Sire," antwortete darauf der Künstler, „ich wußte nicht, daß Eure Majestät nicht Herr im eigenen Hause sind." — Eines Tages ermüdete er den König mit einer aufreizenden Lobrede auf die Ausländer. „Ich habe Sie für einen Franzosen gehalten," sagte der König. — „Nein, Sire." — „Sie sind nicht Franzose?" fragte darauf der König ziemlich überrascht. — „Nein, Sire: ich bin Pikarde, aus Saint-Quentin." — Ein andermal, so erzählt Chamfort, als er vor dem Könige Frankreich bedauert, weil es keine Marine besitzt, zieht er sich folgende schlagende Worte Ludwigs XV. zu: „Und Vernet?" — Und zum Dauphin, der, wie sich herausstellte, schlecht unterrichtet war, als er in irgendeiner Angelegenheit La Tour einen Rat erteilt hatte, sagte der Künstler: „Sie lassen sich aber auch immer etwas weis machen!" So ist dieser Mann, der sich „brüstet, nur deshalb an den Hof zu gehen, um den Leuten dort gründlich die Wahrheit zu sagen"; der schnurrige Typus eines nicht einmal vor seinem Herrn Halt machenden Levitenlesers, dessen deplazierte etwas närrisch wirkende Freimütigkeit belustigt, zum Lachen reizt und entwaffnet. *Almanach littéraire*, 1792. — *Salon de Diderot*, 1763.

43

sich als der absolute Meister der Stellung, des Gesichts-
ausdrucks, der Gesichtsfarbe des Modells; die Porträtisten des Jahrhunderts ächzten und stöhnten mehr
oder minder unter den anspruchsvollen Wünschen und
zeitgenössischen Launen der Frau, die sich malen ließ,
und erlagen ihnen zum Teil qualvoll; La Tour wurde
ihnen allen ein Rächer, ein harter Rächer[1]).

[1]) Wir geben hier eine amüsante Skizze jener Qualen, welche die
Porträtmaler damals leiden mußten: „Milord. Man überläßt sich nicht
ohne weiteres dem Künstler, im Gegenteil, man will ein Wörtchen mit-
reden und ihm Direktiven geben. — M. Rémi. Das hört sich ja fast so an,
Milord, als ob Sie gesehen hätten, wie einige unserer Frauen gemalt wurden.
Das ist nämlich höchst lustig . . . Aber, mein Herr, ich bin doch nicht so
blaß . . . Sie machen mir ja ganz große dumme Augen mit Ringen, die beinahe das halbe Gesicht umspannen . . . Mein Mund ist viel kleiner, die Nase
durchaus nicht so plump und das Kinn nicht so spitz . . . Und was haben
Sie denn da gemacht! Dieses übermäßig angedeutete Schlüsselbein und
diese starken Knochen, gerade am Busen! . . . Dann kommen noch tausend
andere Rücksichten und Wünsche für die Aufstellung, und der arme Teufel
von Maler muß alles anhören. — Milord. Und alles machen. Er muß, es
hilft nichts, seinen Modellen einen üppigen Busen geben, einen kleinen
Mund, runde und volle Arme, alles in milchweiße Zartheit getaucht und
mit Karmin unterbrochen, letzteres besonders, um die Augen zu beleben,
denn man will sie mit aller Gewalt leuchtend und lebendig haben. Gerade
das ist ein Punkt, auf den man unter keinen Umständen verzichten kann;
und dann die sechs Locken auf jeder Seite, nicht mehr, nicht weniger und
den Hut aus dem Gesicht heraus, bei blonden Haaren schwarze Augenbrauen und bei roten Haaren einen dunklen Teint. — M. Fabretti. Ich kann
mir das wohl vorstellen. Sie sehen sich auf ihren Porträts, wie sie sind,
und sie wollen, daß man sie wiedergibt, wie sie in ihrem Spiegel aussehen
möchten. In der Natur gibt es nun einmal keine künstliche Gesichtsfarbe,
keine zurechtgestutzte Haartracht, keine symmetrische Kleidung; es ist
unmöglich, von vornherein die Wahrheit eines van Dick (!) oder eines Rembrandt zu haben. In Frankreich sollte man einfach so etwas wie ein Indianer-
kostüm erfinden: Ringe durch die Nase, Bemalung des Gesichts in Gelb und
Grün und teilweise Tätowierung der Arme und des Busens. — Milord.
Ganz recht. Indessen die Frauen begreifen ja nicht, daß es Länder auf der
Welt gibt, wo man nicht gegen den Anstand verstößt, wenn man in Gesellschaft ohne Schmucknadel in der Coiffüre, ohne Schleifen, ohne „parfait
contentement" und andere in ihren Augen nicht minder wichtige Dinge
erscheint. Man würde das unangezogen nennen. Wenn ich Maler wäre,

44

Mit den Finanzkreisen treibt er es noch toller, da werden seine Launen fast zu Unverschämtheiten. Man kennt die Geschichte seines La Reynière-Porträts. Der Maler war mit seiner Arbeit, die ihn nicht recht zu begeistern vermocht hatte, unzufrieden und bat um eine letzte Sitzung. An dem hierfür bestimmten Tage schickte der Finanzmann einen Diener zu La Tour, der schon vor der Staffelei saß, und ließ ihm sagen, er habe keine Zeit zu kommen. Darauf sagte La Tour zu dem Diener: *„Mein lieber Freund, Dein Herr ist ein Dumm-kopf, den ich niemals hätte malen sollen ... Aber höre, Bursche, Dein Gesicht gefällt mir, Du hast kluge Züge, setze Dich nieder, ich will Dein Porträt machen. Ich sag es Dir noch einmal: Dein Herr ist ein Schafskopf ...“ „Aber, mein Herr, wo denken Sie hin! Wenn ich nicht sofort zurückkomme, verliere ich meine Stelle ...“ „Nun, wenn schon! Ich werde Dich unterbringen ... Fangen wir nur an.“* La Tour macht das Porträt und Herr de La Reynière jagt seinen Diener aus dem Hause. La Tour schickt das Porträt in den Salon, die Anekdote wird bekannt, alles will den klugen Diener des dummen reichen Mannes sehen, und bald werden diesem Diener so viele Stellen angeboten, daß er nur noch die Qual der Wahl hat.

Hatte wirklich nur Unlust bei der Arbeit und der Ärger, einen Dummkopf gemalt zu haben, La Tour zu

---

ich ließe mich auf diesen ganzen Phantasiekram nicht ein. Ich würde gründlich damit aufräumen; man müßte mir nach einer ordentlichen Wäsche seinen Körper zur Verfügung stellen, damit ich daraus allen gebührenden Nutzen zu ziehen imstande wäre....“ *Dialogue sur la peinture*, 1773. Gedruckt zu Paris bei Tartouillis auf Kosten der Akademie.

45

diesem Streiche veranlaßt? Findet man darin nicht noch einen andern Groll gegen den Finanzmann und seinen Reichtum? Denn der Maler ist sehr geldgierig. Die Anerkennung, die er sich errungen, und der beglaubigte Wert seiner Werke haben ihn anspruchsvoll und habsüchtig gemacht, und es scheint fast, als ob er den Preis der Bilder, die er malt, nach dem Vermögen seiner Modelle bemißt. Im Jahre 1745 hätte er sich beinahe mit seinem intimsten Freunde, Duval d'Epinoy, erzürnt wegen der Bezahlung jenes Porträts, das er mit folgenden, auf dem Rahmen eingegrabenen Versen in den Salon geschickt hatte:

Aufrichtige selbstlose Liebe
Hegte einst des Malers Kunst;
Ohne Freundschaft und Gunst
Heut wenig ihr verbliebe.

(La peinture, autrefois, naquit du tendre amour;
Aujourd'hui, l'amitié la met dans tout son jour.)

Seinem Freunde Mondonville, bei dem er viel und ganz ungezwungen verkehrte, passierte mit ihm etwas ähnlich Unerquickliches; in diesem Falle handelte es sich um das Porträt von Mondonvilles Frau. Bevor er zu malen anfing, hatte ihm Frau von Mondonville gestanden, daß sie nur fünfundzwanzig Louis dafür ausgeben könne. Daraufhin bat La Tour sie, ihm zu sitzen, und machte ein entzückendes Porträt. Als es Frau von Mondonville zugeschickt wurde, war sie darüber hoch erfreut, holte schnell das Geld aus ihrer Kassette, verpackte es mit Zuckerwerk in eine Schachtel

46

und schickte es ihrem Maler. La Tour behielt das Zuckerwerk und schickte das Geld zurück. Frau von Mondonville erblickte in diesem Spaß eine Galanterie und bildete sich ein, La Tour wolle ihr das Porträt zum Geschenk machen. Nun war es ihr Wunsch, es an einer dankbar quittierenden Artigkeit nicht fehlen zu lassen, und so schickte sie ihm eine silberne Platte im Werte von dreißig Louis; sie hatte bemerkt, daß seinem Anrichteschrank ein solcher Schmuck noch fehlte. Das Geschenk wurde in dieser Form ebensowenig angenommen als das erste; er schickte es zurück und Frau von Mondonville erfuhr, daß Herr von La Tour ihr Porträt mit der gewöhnlichen Taxe von zwölfhundert Livres veranschlagt und hinzugefügt habe, er fühle sich durchaus nicht verpflichtet, auf Leute Rücksicht zu nehmen, die nicht wie er über den Wert der Buffoni dächten, deren Musik und komische Vorstellungen gegenwärtig alles, was in Paris stolz darauf sei, zu den Musikverständigen gezählt zu werden, entzweiten.

Auch bei dem Porträt Herrn de La Reynières scheint das Geld die Hauptrolle gespielt zu haben. La Tour hatte geäußert, daß er für das Porträt des Finanzmannes und für das seiner Gattin zehntausend Livres haben wolle. Auf diese Forderung hin beschloß Herr de La Reynière, die beiden Pastelle dem Maler nicht abzunehmen. Nach mehreren Jahren jedoch ließ La Tour, den es langweilte, die beiden Bilder in seinem Atelier zu haben, Herrn de La Reynière auf gerichtlichem Wege mitteilen, daß er nicht gewillt sei, sie länger zu behalten, und als er mit einem Prozeß drohte,

47

entschloß sich Herr de La Reynière, viertausendacht-
hundert Livres an La Tour zu zahlen, also den Preis,
auf den die Künstler Silvestre und Restout die Forderung ihres Freundes herabgesetzt hatten.

Schließlich möchten wir noch folgenden, längst vergessenen Bericht wiedergeben, der für La Tour und die
Geschichte seines Pompadourporträts recht bezeichnend ist und den wir im *Journal des Arts* vom 25 Nivôse,
Jahrgang VIII fanden:

„Es dürfte bei dieser Gelegenheit ganz passend sein,
jene Männer an eine kleine Anekdote über den Porträtmaler La Tour zu erinnern. Er hatte soeben das
Pastellbild der Marquise de Pompadour beendet und
verlangte bescheiden achtundvierzigtausend Livres.
Die Frau Marquise fand diese Forderung des Künstlers
übertrieben hoch und schickte ihm vierundzwanzig-
tausend Livres in Gold. La Tour rannte in seiner
Wohnung wütend hin und her und ereiferte sich über
die Herabwürdigung seines Talentes, als Chardin, sein
Nachbar in den Galeries du Louvre, sich ganz ruhig
und kaltblütig ihm näherte und ihn fragte, ob er wisse,
wieviel alle Gemälde, die Notre-Dame schmückten und
worunter sich die Meisterwerke Lesueurs, Lebruns,
Bourdons, Testelins befänden, gekostet hätten. —
Nein. — Dann rechnen Sie es sich bitte einmal aus:
vierzig Bilder ungefähr, ein jedes zu dreihundert
Livres, das macht zwölftausendsechshundert Livres ...
Außerdem, fügte Chardin hinzu, gab jeder Künstler
eine kleine Skizze des Bildes den jeweiligen Kirchen-
vorstehern ... — La Tour erwiderte kein Wort."

48

Maurice Quentin de La Tour　　　　　　　　　　*Weibliches Bildnis*

8

La Tour war ein ganz merkwürdiger Mensch. Eine krause, komplizierte Natur, eine wunderliche Mischung der widersprechendsten Teile des menschlichen Wesens. Er ist habsüchtig, haut die Menschen in seinem Beruf übers Ohr, preßt die Geschmacksrichtung seiner Zeit wie eine Zitrone aus und zeigt sich unmittelbar daneben uneigennützig, hochherzig, hilfsbereit. Im Spenden milder Gaben handelt er wie ein Grandseigneur, er gibt nur blankes Geld. Bald ist er freundlich, bald reizbar und grillenhaft. Alles mischt sich in ihm: kleine Eitelkeiten, erhabener Stolz, Leidenschaftlichkeit, Lust an Ränken, Spuren vom Charlatan mit warmherzigen, rein menschlichen Seiten, bürgerliche Züge à la Chardin und Junkertum à la Voltaire. Er ist durchaus ein Sohn seiner Vaterstadt Saint-Quentin und des achtzehnten Jahrhunderts, gehört aber auch der Zeit Rousseaus und des Philanthropen Montyon an. Aus London hat er sich die Selbständigkeit des freien Bürgers mitgebracht. Rücksichtslos mit dem Hofe, grob mit den Großen, unverschämt mit den Reichen, entpuppt sich dieser ungehobelte Mensch etwa als ein Typus Duclos'. Den Prinzen gibt er die Broschüre des Abbés Coyer über das Wort: *Vaterland*[1]) zu lesen und will ihnen damit eine Lektion erteilen. Dem Marschall von Sachsen wirft er das Blut an den Lorbeeren seines Ruhmes vor. Ein Mensch, der sich mit allem befaßt, der viel gelesen,

---

[1]) Der Herausgeber der *Mémoires de Condorcet* setzt dieses Geschichtchen in das Jahr 1788 und macht eine Revolutionsanekdote daraus. Er täuscht sich. Die Broschüre des Abbés Coyer erschien im Jahr 1755.

ja, der viel zu viel gelesen und studiert hat, und zwar
Sachen, die er nicht zu verdauen vermochte, so daß
sie ihn verwirren mußten, ein kühner Politiker und
Mißvergnügter, der, während seine Modelle ihm sitzen,
die Geschicke Europas zu lenken versucht; ein auf
Systeme eingeschworener Mensch, der sich selbst ein
System der Kunst, der Religion, der Medizin schafft[1]);
der alle möglichen fixen Ideen hat, der nichts tut, was
andere Menschen tun, der sich immer von allen unterscheiden will, der einmal das Rätsel aufgibt, wie er wohl
von Paris nach Passy zu Herrn de la Popelinière gekommen ist, ohne weder einen Wagen noch ein Boot,
weder ein Pferd noch einen Esel zu besteigen, ohne zu

---

[1]) Von der medizinischem Betätigung La Tours handelt ein merkwürdiger Brief, der von G. Boilly in den *Archives de l'art français*, Band II,
mitgeteilt ist.

„Mein werter Herr!

Ich bin Ihnen außerordentlich dankbar für die Ehre, die Sie mir dadurch widerfahren lassen, daß Sie sich meiner erinnern und mir mit so
entzückender Liebenswürdigkeit jüngst aus London geschrieben haben.
Ich habe Ihrem Herrn Vetter angeboten, ihm alles zu liefern, was Sie etwa
an Schokolade wünschen sollten; es bereitet mir große Freude, zu hören,
daß es Ihnen gut geht; hoffentlich sind Sie jetzt auch äußerlich wieder
froh und jung geworden, obgleich man ja in Wahrheit jung ist, solange man
sich wohl befindet. Ich glaube, daß Wasser, nüchtern getrunken, ein vor-
treffliches Schutzmittel gegen Krankheiten ist: es reinigt den Magen, säubert
die Nieren und bereitet eine gute Verdauung vor; wenn man sich allmählich
daran gewöhnt, kann man es täglich bis auf zwei Maß bringen. Alle, die
meine Diät befolgen, nennen mich ihren Retter. Das Interesse, das ich an
Ihrer Gesundheit nehme, läßt mich hier die Rolle des Wasserdoktors spielen;
die Wirkung dieses Mittels bleibt fast niemals aus: ein gewisser Herr Cocchi
aus Florenz hat darauf geschworen.

Ich habe die Ehre, mein verehrter Herr, mich Ihnen mit der Aufrich-
tigkeit und Herzlichkeit eines Pikarden zu empfehlen!

Ihr ergebenster und gehorsamster Diener

De La Tour.

Paris, Galeries du Louvre, den 24. April 1774.“

50

Fuß zu gehen und ohne zu schwimmen: — indem er sich an einen Kahn anklammerte, der ihn mitschleppte — das ist das Original La Tour.

Seien wir jedoch gerecht gegen diese Originalität. Sie wird bei ihm aufgewogen, entschuldigt und geadelt durch echte Seelengröße, durch die Persönlichkeit des Charakters, durch das hohe und reine Ringen des Menschen und des Malers, durch das ihm angeborene Gefühl für die Würde der Kunst, durch die Preise, die er stiftet, die Wohltaten, die er austeilt[1]), durch das

[1]) La Tour stiftete 1776 in Paris drei Preise: die beiden ersten für Leistungen auf dem Gebiet der Anatomie und der Perspektive, den dritten für einen gemalten Halbakt; diese Preise stellten die Zinsen von 10 000 Franken dar, die der Künstler nach voraufgegangenem Schenkungsakt am 27. April 1776 mit notarieller Beglaubigung bei einer Bank hinterlegte.

La Tour stiftete noch einmal 10 000 Franken, deren Zinsen für eine Medaille im Wert von 500 Franken bestimmt wurden; diese Medaille sollte demjenigen zuerkannt werden, der die vortrefflichste Leistung oder die nützlichste Entdeckung auf dem gesamten Gebiet der Künste in der Pikardie aufzuweisen haben würde.

Dreißigtausend Franken bestimmte er zur Gründung einer Fürsorgestelle in seiner Vaterstadt, die Säuglinge armer Eltern mit Kleidung und Wäsche zu versorgen, unbemittelten Wöchnerinnen und gebrechlichen Handwerkern Hilfe zu leisten hatte.

Er stiftete ferner in Saint-Quentin, 1778, nach einer Notiz des *Mercure*, die Mantz wieder ans Licht gezogen hatte, eine Freischule für Zeichnen; in einem „Galeries du Louvre, den 21. September 1781" datierten Brief bat er den Präfekten von Amiens, das Protektorat über diese Schule zu übernehmen, indem er ihm sagte, daß er ihm sehr dankbar wäre, wenn er „einer Einrichtung, die, wie er hofft, allen seinen Mitbürgern Nutzen bringen wird", seinen Schutz angedeihen lassen würde.

Die Zeichenschule zu Saint-Quentin wurde durch königlichen Patentbrief vom März 1782 mit dem Titel „Ecole royale" anerkannt, und im März 1783 wurden drei Kurse eröffnet: für Geometrie und Architektur, für Figuren und Tiere, für Blumen und Ornamente.

Die ersten Spenden La Tours für diese Schule beliefen sich auf 18 000 Franken; da er jedoch bald einsah, daß diese Summe nicht genügte, ergänzte er sie jährlich mit kleineren Beträgen, die im Verein mit den Ergänzungen seiner anderen Stiftungen sich zu einem Gesamtkapital von 90 174 Livres, 3 Sous, 4 Deniers erhoben.

4*

51

große Beispiel prächtiger Bescheidenheit, das er als
einziger im ganzen Jahrhundert mit der Verweigerung
der Annahme des Sankt Michael-Kreuzes und des damit
verbundenen Adels gibt.

9

La Tour ist im Louvre zahlreich und prächtig vertreten. Mit dreizehn Pastellen, deren Nachbarschaft
ziemlich erdrückend auf seine Vorgänger wirkt, auf die
harten und dunklen Pastelle Viviens und die liebenswürdigen, aber recht oberflächlichen Bildnisse von der
Hand der Rosalba. Da ist zunächst die Pompadour,
eins seiner größten Pastelle und sein populärstes Bild;
dann sein Selbstporträt[1]), das in seiner verwischten und
ineinandergearbeiteten Manier dem aus einem Hauch
von Farben erblühenden Kopf eines ironischen Phan-
toms ähnlich sieht; der René Frémin mit der kraftvollen Tönung; der Ritter vom Orden des Heiligen
Geistes, der durch die wunderbare Unterscheidung des
dreierlei Schwarz an seinem Anzug in Erstaunen setzt:
die drei Nuancen berühren sich, ohne ineinander zu
fließen; das Schwarz des Samts, woraus das Wams gearbeitet ist, das Schwarz des Seidenfutters und das
Schwarz der seidenen Strümpfe; der König, der Dauphin, der Marschall von Sachsen, Maria Leczinska,
dieses entzückende, höchst anziehende Pastell, auf dem

---

[1]) In diesem vernachlässigten und fast diabolisch wirkenden Greise
welch eine Wandlung des jungen La Tour, jenes La Tour, den uns das
Porträt Lagranges und selbst das Porträt Perroneaus zeigen in der stattlichen Größe von 5 Fuß, 2 Zoll, den Kopf nicht wenig hoch tragend, Mut
und Stolz auf dem Gesicht, prachtvoll erfaßt in der nervösen Reizbarkeit
seines Charakters, ein schmucker Kerl, kokett, gewählt in seiner Kleidung!

52

man die weiche und liebliche Tönung des Gesichts, die natürliche Wiedergabe und die feine Modellierung des zarten Fleisches, dieser krankhaften, von Andacht und Beten bleichen Gesichtsfarbe bewundert. Ruhige Lichter spielen darauf, die mit dem Gesamtton durch kleine gelbe Striche in den bläulichen Halbschatten in Übereinstimmung gebracht worden sind. Eine zeichnerisch erstaunlich gelungene Andeutung des Lächelns verbirgt an den beiden Mundwinkeln die Güte. Die Schatten, übrigens nur ein leichter Anflug von Pastellkreide, verleihen dem ganzen Kopf die Durchsichtigkeit des Fleisches. Wundervoll hat der Pastellmaler das Kleid behandelt, dieses reich verzierte Kleid, ganz in der Art, wie sie die Gattin Ludwigs XV. liebte, über und über geschmückt mit allerhand Putz, Stickereien und Flitterbesatz durcheinander, mit Chenilleschnüren, mit Bändchen und Nesteln, mit Stickereien in Gold oder à la Milanaise, mit gekräuselter Spitze, schließlich mit jenen in Abständen zur Hebung des Ganzen angebrachten Büscheln einer eigenartigen Passementeriearbeit, die man, glaube ich, *soucis de hanneton* nannte[1]). Und doch ist dieses in jeder Beziehung so vollendete Bildnis der Maria Leczinska nicht La Tours bedeutendstes Werk im Louvre. Es gibt da von ihm noch etwas Köstlicheres, ein dem großen Porträt der Pompadour weit überlegenes Bild,

---

[1]) Dieser Kopf Maria Leczinskas scheint das wie geheiligt feststehende Bildnis der Königin zu werden. Die *Mémoires de Luynes* melden uns, daß im Mai 1747 in den Gemächern des Schlosses von Versailles die Ausstellung eines großen Porträts der Königin von Vanloo stattfand; das Gesicht hatte Vanloo nach dem Pastell La Tours kopiert.

53

obgleich es weder dessen Ansehen noch dessen Berühmtheit genießt: das Porträt der Maria Josepha
von Sachsen als Dauphine von Frankreich; sie spielt
mit dem Gestell eines umgekehrt gehaltenen Fächers
— eine kokette Bewegung, die der Porträtist allem
Anschein nach liebt und schon Maria Leczinska gegeben hat. Die Arbeit auf dem Bildnis der Königin
ist ein wenig kalt, ein wenig vorsichtig und zaghaft:
hier auf dem der Dauphine, welche Freiheit im Verein
mit höchster künstlerischer Vollendung der Technik!
Man stelle sich ein kerniges, urdeutsches Gesicht vor,
tief blaue, wunderbar leuchtende Augen, einen von
Frische strotzenden Teint, den ein paar leichte Schraffierungen in Rot wie mit Gesundheit angehaucht
haben; die Backenknochen sind in dem zarten Zinnober
der Wangen mit zwei oder drei Körnchen Karmin
betont; über die verriebenen Grundfarben des Pastells
sind zitternde Striche mit der brüchigen Kreide ge-
huscht, Kreidenuancierungen von anderer Farbe, die
der Richtung der Muskeln folgen und sozusagen sie
umspielen, dadurch die Gesamttönung unterbrechen,
abwechslungsreich gestalten und ihr die zusammen-
gesetzte, schillernde Tönung des Fleisches geben;
darüber eine letzte, fast kaum wahrnehmbare Arbeit,
ganz leichte Kreidestriche, die wie das duftige Gewebe
eines milchweißen Schleiers alle versammelten Farben
einhüllen; und hier und dort in dem Bildnis Wunder
an gelungener Zeichnung, an Sicherheit im Strich, an
Wahrheit der Beleuchtung, der Reflex unten am Kinn,
die feine Blässe der Büste und des Halses, wo ein paar

54

kleine Striche mit Azur das Blau der Adern anzumerken scheinen; und diese Hand, diese zarte Hand mit der unbeschreiblich duftigen Rosenfarbe einer halb vom Lichte getroffenen Frauenhand mit dem perlmutterglänzenden hellen Strahl und all den Lichtern, die auf der seidenweichen Haut und dem Perlenglanz der Nägel tanzen ... Aber Worte vermögen solch ein Bildnis nur ungenügend zu schildern, man muß es sehen, man muß vor das Pastell selbst hintreten, wenn man seinen ganzen Zauber genießen will.

10

Jedoch, was ist der Louvre für die Geschichte und das Studium La Tours neben dem eigentlichen Museum des Pastellmalers, neben seinem Museum in Saint-Quentin? Hier sieht man nicht bloß vierzehn Pastelle: ein ganzer Saal ist von oben bis unten, an allen Ecken und Enden mit Werken des Meisters geschmückt, bevölkert, man muß schon sagen: überfüllt; eine Sammlung von mehr als achtzig beendeten oder vorbereiteten, sorgfältig ausgearbeiteten oder skizzierten Porträts entrollt den Zug der Zeitgenossen, die Stände und die Typen der Zeit und führt Rahmen an Rahmen eine bunt durcheinandergewürfelte Gesellschaft vor, den Philosophen Rousseau, den Finanzmann La Reynière, die Tänzerin Camargo und den Marquis d'Argenson, Herrn von Breteuil und den Theaterdirektor Monnet, die Sängerin Favart und den Nationalökonomen Forbonnais, den Buffo Manelli und den Prinzen Xaver von Sachsen, Moncrif und Parrocel, den Abbé Le Blanc,

55

Silvestre und den tragischen Dichter Crebillon, fast die gesamte Ikonologie der Epoche.

Verblüffend wirkt dieses Museum des im Bilde festgehaltenen Lebens und menschlichen Wesens einer ganzen Gesellschaft! Wenn man eintritt, hat man eine höchst seltsame Empfindung, einen Eindruck, den keine andere Malerei der Vergangenheit sonst irgendwo zu machen vermag: alle diese Köpfe richten sich auf den Eintretenden, alle diese Augen schauen ihn an, und man hat das Gefühl, als hätte man in diesem großen Saale, wo alle Lippen plötzlich schweigen, das achtzehnte Jahrhundert im Plaudern gestört.

Aus dieser Menge von Bildern, aus dieser großen Anzahl von Gesichtern, auf denen, wie schon Gautier Dagoty bemerkte, La Tour so vortrefflich die Schwierigkeit überwunden hat, der Haut ihren hellen, lichten Schimmer zu erhalten, ohne sie neben dem Weiß des Puders grau und matt erscheinen zu lassen, treten sehr bald ein Kopf und ein Gemälde in den Vordergrund.

Der Kopf ist das Porträt Silvestres; der Maler trägt ein lilafarbenes Tuch um das Haupt und einen Hausrock aus blauem, geblümtem, chinesischem Seidenstoff; eine wundervolle Studie, worin Gewissenhaftigkeit und Kunst gewetteifert haben, ein höchst charakteristisches Greisenantlitz zu gestalten; erstaunlich ist die Wiedergabe der alten, welken Haut, die Deutlichkeit der kalten Karnation, des Pelzigen und Rilligen im Teint, die Darstellung der Runzeln, die Kennzeichnung der Last der Jahre mit den tiefen, großen Falten, die Gestaltung der mächtig gefurchten Stirn, der schlaffen Rundungen

56

der Wangen und des Kinns, — kurz, die Wiedergabe der unaufhaltsam geförderten Bildhauerarbeit des Alters auf dem Gesichte des Achtzigjährigen.

Das andere Bild stellt den Abbé Hubert dar[1]. Ein sogenanntes Kniestück; der liebenswürdige Abbé sitzt seitlich fast ganz auf der Kante eines Sessels und stützt den Ellbogen auf einen Tisch mit grüner Damastdecke. Vor ihm steht ein großer, in Kalbleder gebundener Foliant an zwei andern übereinander gelegten dicken Bänden, die als Pult dienen. Die eine auf den geöffneten Seiten ruhende Hand ist nicht sichtbar; die andere gleitet über den roten Schnitt des Bandes, aus dem ein weißes Buchzeichen hervorguckt. Das Gesicht ist fast ganz nach vorn gewendet. Der Abbé liest. Über den Tisch gebeugt, hebt seine breite Brust den großen blauen Kragen der Zeit halb in die Höhe; mit gierigen Lippen und einer Miene, die den Feinschmecker verrät, scheint er völlig in eine geistliche Jubelstimmung, in das epikurische Genießen eines emsigen Kirchengelehrten versunken zu sein. Man sieht förmlich, wie er aus der Schrift den Saft schlürft, wie er den Sinn der Worte, der Zeilen, der Seite verschlingt. Auf einem Karton daneben steht ein zweiarmiger Leuchter, der dem Leser mit zwei Kerzen Licht gespendet hat; eins brennt noch; es läßt auf dem stumpfen Dunkel des

---

[1] Der auf diesem prächtigen Pastell dargestellte Abbé Hubert ist fast nur durch die von ihm selbst gegebene komische Anregung zu dem Porträt des lachenden La Tour bekannt und durch die Scherereien, die er Rousseau von seiten der Frau de la Popelinière bereitete; diese Dame haßte alle Genfer ohne Ausnahme, weil der genferische Abbé Hubert ihre Vermählung mit Herrn de la Popelinière fast vereitelt hätte.

57

Hintergrundes das prismatische Flimmern seiner bläulich brennenden Flamme und am Ende des verkohlten Dochtes seine spitze Lichtzunge flackern. Die andere Kerze ist von einem Stück verkohlten Dochtes ausgehöhlt; dadurch ist ihr Brand in Unordnung geraten, so daß sich ein Strom geschmolzenen Wachses über den Rand ergossen hat und nun in Form erstarrter Tropfen und Kaskaden stalaktitenartig an der Leuchtermanschette hängt. Zwei Rauchringe über ihr deuten an, daß sie soeben erloschen ist. Das ist das ganze Gemälde. Ein Abbé, ein Buch und zwei Kerzen, — daraus hat La Tour bei höchst feiner Behandlung des Lichts und der Harmonie des Wahren dieses Meisterwerk in einem Rahmen à la Chardin zu schaffen vermocht, worauf sich die Pastelltechnik fast zu Rembrandt erhebt.

Und doch findet der Kunstfreund nicht in dieser langen Reihe fertiger Bilder, in all diesen köstlichen Porträts die große Offenbarung, den eigentlichen Zauber des Museums zu Saint-Quentin. Die sogenannten *Präparationen* enthüllen ihm einen La Tour der ersten Entwürfe, der vielleicht dem andern überlegen ist, den La Tour jener erstaunlichen Studien, die ein Gesicht mit dem Ausdruck des Augenblicks festhalten und unter dem Glase eines Rahmens bergen. Wenn man auf der rechten Wand die in Brusthöhe angebrachte Kette von Skizzen betrachtet, alle diese abgeschnittenen Köpfe, die, ohne daß man wüßte: warum, in der Erinnerung jene Porträts der Schreckenszeit auftauchen lassen, an deren Hals der Henker der Hand des Malers

58

Halt geboten hat – –: so tritt die Technik vollkommen zurück, die Wirkung der Pastellkreide verschwindet, die Natur tritt ganz lebendig hervor und wird unmittelbare Gegenwart ohne das Zwischenglied der Interpretation und Übertragung. Auf diesen Männer- und Frauengesichtern sieht man nicht mehr die Farben, die den Teint ausdrücken, sondern den Teint selbst; das ist nicht mehr Kunst, das ist Leben.

Einen wunderbaren Anblick gewähren die atmenden Köpfe und Hälse, die auf dem bläulichen Papier mit einem Stückchen abgenutzter und schmutziger Pastellkreide in wenigen Strichen oder gar mit einem Sepiastift in kecken, breiten Schraffierungen festgehalten worden sind; ihre Haare sind bloß ein wildes Durch- und Aufeinandersetzen von mehr oder minder breiten Kreidestrichen und sehen aus wie eine sich zusammenballende graue Puderwolke; hie und da werden sie von einer derben schwarzen Schraffierung unterbrochen, und seitlich darunter wird so etwas wie ein Stückchen Ohr sichtbar; und alles das verschmilzt auf einem Blatt Papier in einem rohen Rahmen zu einer Physiognomie, im Fluge erhascht, kraftvoll, siegreich, von einer genialen, fieberhaft beschwingten Hand, von einem kühnen, kaltblütig und klar begeisterten Meister, in hartnäckigem Ringen mit der Natur, unbekümmert um Regeln und Grundsätze, kurz um alles, was er gelernt hat, um sich nur dem hinzugeben, was er sieht. Da sind die durchsichtigen Stellen unter der Nase mit reinem Karmin angedeutet, sind Stützpunkte aus Blanc de Troyes geschaffen, die mit lauten und in die ·

59

Augen springenden Lichtern den Schmelz und den Grundton einer Farbe bestrahlen; da gibt es ferner wahre Peitschenhiebe mit dem Kreidestift zu sehen, Einschläge mit reinem Blau oder Gelb, welche die platte Wirkung eines Tones unterbrechen, Streifen in der Richtung der Muskeln, die auf der Rundung einer Wange etwa die Spur einer flüchtigen Reibung oder eines Kratzens andeuten, mit einem Wort alle Keckheiten, die der Schwung des Augenblicks, der Anblick des Modells dem Künstlerherzen entrissen haben und die auf dem Papier weit besser als der Pinsel auf der Leinwand die Lebhaftigkeit, die kraftvolle Beseelung, die wunderbare Augentäuschung der Züge und des Fleisches erzeugen.

Und diese Präparationen sind von einer solchen Ähnlichkeit, daß der Historiker, der Forscher, der Arzt, der Physiologe daran das Temperament des Individuums studieren können. Alles hat der Pastellmaler ausgedrückt, den Gesundheitsgrad, den Altersgrad, den Geistesgrad des betreffenden Mannes oder der betreffenden Frau, die in der Farbe sich äußernden Verschiedenheiten des Blutes, der Galle, der Lymphe, die Eigentümlichkeit der einzelnen Naturen.

Erkennt man nicht an diesem Munde, wo Scherz und Spott ihr Spiel treiben, an diesem verschmitzten, fast affenartigen Gesicht, an der Ironie dieser Augen, die ohne leuchtenden Punkt doch glänzen, den Gesichter schneidenden Mystifizierer, den philosophischen Schauspieler der Spöttelei und der Nachahmungen — kurz den ganzen d'Alembert?

60

Jenes stämmige Gesicht unter den ganz einzig skizzierten Haaren, die ein Stoff umflattert, diese weit geöffneten Augen, diese kurze, stumpfe, sinnliche und schelmische Nase, dieser aufgekräuselte Mund, dem man die Gewohnheit, Possen und Witze unter das Publikum zu werfen, anmerkt, diese Frau, diese dreiste Maske bäurischer Schalkheit ,— das ist Bastienne und Frau Favart.

Gleich daneben hat man noch eine Erscheinung aus der Welt des Theaters: von einem lebhaft blau getönten Hintergrunde hebt sich mit gepudertem Haar, dessen ganze Technik in meisterhaft gezogenen Spiralen aus schwarzer Kreide besteht, ein sprödes Gesichtchen mit hellen rosigen und blauen Tönen ab, die den Zügen ein taufrisches Leben verleihen. Die Stirn ist geistvoll gewölbt, die schwarzen Augenbrauen sind fein geschwungen, die schwarzen Augen wundervoll mandelförmig, die Nase ist leicht und zart gekrümmt, um den Mund spielt ein sardonischer Zug; das ganze verfeinerte, ziselierte, scharf geschnittene Gesicht schließt sich zu einem Oval von überaus reizvoller Magerkeit zusammen, und die Frische der Hautfarbe verrät ein nervössanguinisches Temperament: das ist die Camargo.

Und schließlich erblickt man hier die wahre Pompadour, die der Studie, nicht die des Porträts, die bürgerliche Favoritin, die vor der Idealisierung auf dem offiziellen Pastellbilde ungeschmeichelt, ohne Verklärung, sozusagen nackt festgehalten worden ist. Da ist sie mit den flachliegenden, fayenceblauen Augen, mit dem deutlich markierten Flaum auf der Oberlippe,

61

mit dem welken, grauen, bleichsüchtigen, blaugefleck-
ten, laut einem Chanson der Zeit gesprenkelten Forellen-
teint, mit dem verblühten Rot auf den Wangen und
dem bleichen Zinnober auf der Lippe.

Neben diesen bekannten und berühmten Gesichtern
hängt eine lange Reihe namenloser Köpfe, knospende
oder reife, wollüstige oder nachdenkliche, muntere oder
tiefsinnige, vor denen der Gedanke verweilt, suchend
abschweift und an irgendeinem Erkennungszeichen
eine Frauenfigur aus Rousseaus *Confessions* oder die
Heldin einer Liebesgeschichte Diderots wiederzufinden
glaubt.

11

Diese Köpfe La Tours haben nicht nur Leben durch
die Wahrheit ihres Baus, durch die Wirklichkeit ihrer
Zeichnung, durch die materielle Täuschung des Körperlichen am Individuum; das forschende Malerauge packt
auch den moralischen Ausdruck der Ähnlichkeit. Dieser
wunderbare Physiognomiker gestaltet im Porträt des
Menschen das Porträt des Charakters. Seine Gesichter
denken, sprechen, offenbaren sich, liefern sich aus.
Allen verleiht La Tour jenes geistige und seelische
Fluidum der Augen, den *mens oculorum*, kurz den Ausdruck, woraus die Persönlichkeit entspringt. Die Zeitgenossen sagten sehr richtig: Nimmt man Mondonville
seine Violine, so bleibt immer noch das Bild der
musikalischen Begeisterung übrig; entkleidet man
Manelli seines Theaterkostüms und entfernt man von
seinem Kopfe die lächerliche Perücke, so wird man
immer noch den Typus des italienischen Spaßmachers

62

haben; und betrachtet man das Porträt des de la Condamine, so fühlt, so sieht man die Merkmale der Schwer-
hörigkeit. Diderot verkannte diese ganze bedeutende
Seite im Talent La Tours, als er ihn eines Tages
nur einen großen Techniker nannte, eine wunderbare
„Mache" an ihm rühmte. La Tour ist weit mehr. Er
sagte selbst von seinen Modellen: *Sie glauben, daß
ich nur die Züge ihrer Gesichter erfasse; ich steige jedoch
ohne ihr Wissen bis auf den Grund ihres Wesens hinab
und nehme sie ganz und gar mit fort.* Da haben wir ja
das, was bei dem Porträtisten über den Techniker hin-
ausgeht: das Bemühen und der Ehrgeiz, mit seinen
Stiften ein Bekenner der menschlichen Seele zu sein.
Durch häufigen Umgang und · eindringlichen Verkehr in diejenigen, die er malt, hineinzuschlüpfen,
sie durch das Gespräch aus sich selbst herauszulocken,
sie an sich zu ziehen, sie von ihrem Kern, vom
letzten Geheimnis ihrer Seele zu entbinden, sie „ganz
und gar mit fortzunehmen", wie er sagte, darauf ist
sein Streben gerichtet, das erscheint ihm als die Basis
seiner künstlerischen Arbeit: die ganze Individua-
lität einer Persönlichkeit zu umfassen, den ganzen
Menschen durch die Darstellung der inneren Eigentüm-
lichkeiten ebenso wie durch die der äußeren lebendig
zu machen, durch die gewöhnliche Haltung, durch
die natürliche Bewegung, durch eine unwillkürliche
Gebärde, durch irgendein das Wesen offenbarendes
Benehmen, selbst die soziale Stellung des Menschen
darzustellen durch die Merkmale des Standes oder die
Kennzeichen des Gewerbes, das ist der große Gedanke

63

und die erhabene Sehnsucht, die La Tour unablässig nährte und die seinen künstlerischen Gesichtspunkt so weit über den eines einfachen Kunsthandwerkers stellen und ihm seinen eigenen großen Ruhm sichern. Man höre ihn selbst: *Es gibt weder in der Natur, noch folglich auch in der Kunst irgendein untätiges Wesen. Jedes Wesen jedoch hat mehr oder minder unter den Beschwerden seines Berufes leiden müssen. Es trägt mehr oder minder deutlich deren Stempel. Der springende Punkt ist nun, diesen Stempel richtig zu erfassen, so daß, wenn es sich darum handelt, einen König, einen Feldherrn, einen Minister, einen Beamten, einen Priester, einen Philosophen, einen Lastträger zu malen, alle diese Personen so viel wie möglich von den Bedingungen und Verpflichtungen ihrer Stellung zum Ausdruck bringen. Da jedoch jede Veränderung einer Partie mehr oder minder Einfluß auf die übrigen hat, so liegt der zweite wichtige Punkt darin, jedem genau das ihm zukommende Maß von Veränderung zu geben, derart, daß der König, der Beamte, der Priester nicht nur König, Beamter, Priester dem Kopfe oder dem Charakter nach, sondern daß sie von Kopf zu Fuß lebendig aus ihrem Stande hervorgewachsen sind.*

Ebenso wie den Mann ergründet La Tour die Frau seiner Zeit. Auf den Porträts, die er von ihr macht, drückt er die Gedanken und Reflexionen aus, die den Geist dieser „Leserinnen Newtons" beschäftigen. Er verleiht der Frauenphysiognomie ein gewisses Etwas von Unergründlichkeit, Mannigfaltigkeit und Kompliziertheit. Ohne ihren Puder, ihre Schönheits-

64

Maurice Quentin de la Tour *Prosper Jolyot de Crébillon*

pflästerchen und ihre Moden im geringsten zu beeinträchtigen, erhebt er die Frau weit über jene übliche Geziertheit, mit der die damaligen Porträtisten argen Mißbrauch trieben. Er nimmt ihr das Aussehen einer wachen Puppe, jenen der damaligen Malerei geläufigen leeren, hohlen und schlau-koketten Typus, den man sich an einer Klatschschwester der *Angola* vorstellen könnte. Der Maler der Maria Leczinska und der Dauphine aus Sachsen vermochte der Frau das zarte Sinnen, die stille Güte und den Ernst der Anmut zu verleihen, diese wohl entzückendsten Merkmale des Frauengesichts in der Ruhe. Ich greife eins seiner Porträts heraus, das Bildnis einer unbekannten Frau mit einem blauen Bande um den Hals und einem Mieder aus Samt, Spitze und Schwanenbesatz: in ihren hellen, fast blinzelnden Augen, deren Lider ein wenig gesenkt sind, ist die anmutigste geistige Sammlung zu lesen, die man sich denken kann, und über die ernste Lippe huscht ein höchst nachdenkliches Lächeln. Neben diesem Pastell hängt eine Präparation: die Dangeville; hier ist der Ausdruck ein völlig anderer: etwas Geheimnisvolles, Rätselhaftes spielt auf dem Gesicht einer sinnlichen Gioconda, einer Gioconda der Menus-Plaisirs. Nehmen wir noch ein anderes: jenes Porträt der Sylvia im Papprahmen; ist dies das mutwillige und pikante Gesicht, das man bei einer italienischen Schauspielerin erwartet? Nein, in diesen klugen Zügen, in diesem bohrenden Blick, in dieser köstlichen Maske von Scharfsinn meint man das Porträt eines als Frau verkleideten Diplomaten zu erblicken. Man vergleiche alle

Ausdrücke des Lächelns auf den Frauenbildern La Tours; nicht ein einziger ist banal; ein jeder ist persönlich, gehört ganz und gar der betreffenden Person, bezeichnet und unterstreicht einen deutlichen Zug ihres Charakters, ihrer Gemütsart, ihres Geistes, ihrer Seele, ihres Herzens. Man mache sich zum Beispiel in Saint-Quentin den Gegensatz der beiden Frauen klar, die nebeneinander lächeln: bei der einen, bei Frau Massé, haben wir das gedämpfte, feine, zarte, stark vergeistigte Blühen, jene der Reife nicht mehr ferne Entfaltung der Vierzig, dieses Scheitelpunktes im Alter der Frau des achtzehnten Jahrhunderts, ein Lächeln, das in süße Erinnerung versunken zu sein scheint, auf dem ganzen wohlgenährten Gesichte verbreitet ist, sich in der anmutigen Modellierung der Grübchen auf den Wangen verfolgen läßt und fast die schwärmerische Fröhlichkeit der Augen überschwemmt; und nun daneben welch ein Kontrast! Das unentwickelte, linkisch gezierte junge Mädchen, mit einem Lächeln auf diesen unschuldigen, dummen, naiven, gänzliche Unvertrautheit mit dem Leben offenbarenden Lippen, mit einem Lächeln, das nichts weiter als die instinktive Dreistigkeit der siebzehn Jahre verrät! — Hier wie auf allen seinen Frauenporträts erweist sich La Tour als der vortrefflichste Zeichner der feinsten weiblichen Ausdrucksform: des Mundes.

12

Kein Maler des achtzehnten Jahrhunderts beschäftigte und quälte so hartnäckig wie La Tour sein Gehirn

66

mit einer philosophischen Vorstellung und Auffassung der Kunst. In dem langen Ringen seines Talentes, „in diesem Kampf mit einer undankbaren Natur, die sich seiner Entwicklung widersetzte", ist er der Künstler gewesen, der am meisten über sich selbst gegrübelt, über sich selbst nachgedacht, der sich am heißesten bemüht hat, die tiefen, inneren Gesetze und die Geheimnisse der Malerei zu ergründen. Zu einer umfassenden Beurteilung La Tours müßte man über seine Unterhaltungen in kleinem Kreise mit Diderot unterrichtet sein, der von ihm gesagt hat, es wäre eine Freude gewesen, ihm zuzuhören, und dem wir die Überlieferung jener originellen geistigen und kritischen Probe des Malers verdanken, die Meister La Tour vor dem *Jungen Mädchen mit dem schwarzen Hunde* und einem von Greuze verfehlten Hemdärmel abgelegt hat:

„*Der Ursprung dieses Fehlers*, sagte La Tour, *ist auch der einer Unzahl noch wesentlicherer. Sie sind alle darauf zurückzuführen, daß man den Schülern viel zu früh rät, die Natur zu verschönern, anstatt sie gewissenhaft wiederzugeben. So beginnen sie mit dieser sogenannten Verschönerung, ohne eine Ahnung zu haben, was das heißt; wenn es sich nun um eine peinlich genaue Nachahmung handelt, wozu sie sich bei solchen kleinen Dingen einfach entschließen müssen, wissen sie nicht, woran sie sind . . . .*

„*Die Lehrer an unserer Schule*, fuhr er fort, *begehen zwei schwere Fehler: der erste ist, wie gesagt, daß sie zu den Schülern zu früh über diese wichtige Lehre sprechen; der zweite ist, daß sie sie ihnen empfehlen, ohne eine Idee damit zu verknüpfen. Daher kommt es, daß der eine Teil*

5*

67

der Schüler sich sklavisch an die Maßverhältnisse der Antike, an Lineal und Zirkel hält, sich nicht mehr davon frei machen kann und für immer auf dieser falschen und frostigen Fährte bleibt; und daß die andern mit ihrer Phantasie sich einer Leichtfertigkeit hingeben, die sie der Unnatur und Manieriertheit in die Arme treibt, wovon sie sich ebensowenig wieder frei machen können."

Er schloß diese Aussprache zu Diderot folgendermaßen: *„Die Sucht zu verschönern und zu übertreiben nähme nach und nach ab, je mehr man an Erfahrung erwürbe, je mehr man seine Technik vervollkommnete, und es käme eine Zeit, wo man die Natur so schön, so einheitlich, selbst in ihren Fehlern so zwingend richtig ineinander gefügt fände, daß man dann geneigt sei, sie so, wie man sie sieht, wiederzugeben; von dieser Neigung könnte man wohl nur durch ein bereits zur Gewohnheit gewordenes gegensätzliches Empfinden abgebracht werden und durch die außerordentliche Schwierigkeit, die darin besteht, bei Verfolgung dieser Richtung genügend wahr sein zu können, um zu gefallen.*"

Mit diesem unaufhörlichen, weitverzweigten Grübeln über Mittel und Wesen der Kunst, mit dem Suchen nach Prinzipien und Theorien, in dem Bestreben, die ideale Richtschnur seines künstlerischen Berufes zu finden, verlor La Tour allmählich die Ursprünglichkeit seines Talentes. Seine Ästhetik lähmte auf die Dauer seine Schaffenskraft. Und wie es häufig vorkommt, wenn Maler im Alter zu sehr Denker und Theoretiker werden, verlor auch er endlich in seiner Arbeit und

68

natürlich auch in seinen Werken den instinktiven Schwung.

„Ich habe La Tour beim Malen beobachtet," sagt Diderot; „er ist ruhig und kühl; seine Arbeit verrät nichts von Mühen und Ringen, er leidet und stöhnt nicht dabei, er strengt sich nicht an, kniet sich sozusagen nicht hinein, meidet die unbequemen Stellungen des enthusiastischen Gestalters, bei dem man sieht, wie das Werk, das er sich vorgenommen, Stück für Stück geboren wird, wie die künstlerische Schaffenskraft aus seiner Seele auf seine Stirn gelangt, und von der Stirn daneben auf die Erde fällt oder auf der Leinwand Form annimmt. Er ahmt nicht die Gebärden des Stürmers nach; man bemerkt an ihm nie die hochgezogene Braue des Verschmähenden oder einen in Rührung übergehenden Frauenblick; er gerät nie in Entzücken, lacht nie bei seiner Arbeit, bleibt durchaus kalt.

Diderot schrieb das im Jahre 1767, das heißt gerade zu der Zeit, als bei La Tour die Abkühlung begann. Der Maler, den er uns zeigt, ist ein Sechziger, über dessen Talent sich die Dämmerung senkt. Der Höhepunkt im Schaffen und in der Kraft La Tours liegt um das Jahr 1742, dem Entstehungsjahr des Pastells vom Abbé Hubert. Schon seit längerer Zeit verriet der Kolorist Schwerfälligkeit. Man wirft ihm ziegelfarbige Töne vor, die man auf seinen ersten Ausstellungen nicht bemerken konnte, und eine wischende Technik, die seine Pastelle langweilig mache. Das Porträt der Pompadour hat nicht allem entsprochen, was man davon erwartete. Und in der Tat ist dieses als La Tours

69

Hauptwerk allgemein bekannte Bild weit entfernt, in der Ausführung seinen ersten Schöpfungen zu gleichen. Das Gesicht der Favoritin wirkt flach, trocken, hart in den Umrissen; sein Teint lebt nicht; das ganze Pastell ist schwerfällig, fade, pelzig, die Arbeit wirkt gequält, die aufgesetzten Lichter haben, wie zum Beispiel in den Vergoldungen der Konsole, etwas Hartes und Schreiendes. La Tours Lieblingsfarbe, womit er fast immer den Hintergrund seiner Porträts und selbst seiner Präparationen tönt, jenes harmonische Blau, das man auch auf diesem großen Bilde überall trifft, ist hier recht unerfreulich verwendet und hat den verstimmenden Ton des Zuckerhutpapiers. Aber dieses Bild ist noch durchaus kein Beispiel für das eigentliche Verblühen von La Tours Schaffenskraft; man kann den Verfall dieses großen Künstlers im Louvre verfolgen, wenn man von dem schönen Porträt der Königin dem Meisterwerk, der „Dauphine de Saxe", vor das Porträt Chardins tritt; mit dem ziegeligen Ton und den harten Kreidestrichen, mit diesem Bart, der aussieht, als ob er mit Ruß eingerieben worden sei, mit dieser roten Karnation, die von einem unnatürlichen Licht getroffen wird und wenig echtes Leben zeigt, wirkt es schwer und gekünstelt; es ist ein ganz mittelmäßiges Pastell, das jeder Durchschnittsmaler gearbeitet haben könnte und das alle Kritiken der Feinde und Neider des Meisters rechtfertigt. Und in Saint-Quentin sieht man neben den schönsten Werken, wie er plötzlich zu dem schrecklichen Pastell des Pater Emanuel herabsinkt, das in seinem Ringen mit dem pastellmalenden Chardin

70

eine seiner recht unwürdige Niederlage bezeichnet. Man hat es nicht genügend betont: in dieser so gewagten Kunst, die selbst für den besten so gefahrvoll bleibt, ist auch La Tour einer Ungleichheit nicht entronnen, die oft in Erstaunen setzt. Inzwischen war die Begeisterung des Abbé Le Blanc verstummt; und bei der Kritik machte sich ganz leise jenes Schweigen bemerkbar, worin sich seine letzten Ausstellungen verloren. Und abermals wenige Jahre später sprachen die *Dialogues de la peinture* von ihm wie von einem toten Talent. Und sein Talent war wirklich schon eiskalt geworden, hatte sich in Theorien verloren und schuf kaum mehr etwas Neues; es starb unter den kraftlos werdenden Händen des Malers an seinen früheren Werken völlig dahin. Der Greis war nämlich auf den Gedanken verfallen, sie zu überarbeiten; er wollte sie mit Hilfe seiner neuerworbenen Kenntnisse verbessern und verdarb sie. „Wie schade"! hörte er ganz laut vor solchen überarbeiteten und ruinierten Werken sagen, vor dem Porträt Restouts, das er bei seiner Aufnahme in die Akademie gemalt hatte, nun wieder vornahm und den glänzenden seidenen Rock mit einem einfachen braunen Rock vertauschte, um dem an sich sehr richtigen und sehr wichtigen Prinzip zu gehorchen, den Köpfen jedes glänzende Beiwerk zu opfern. Seine alten Finger jedoch konnten seiner Idee nur noch schlechte Dienste leisten; seine Augen sahen nicht mehr den Schmelz der Dinge. Bei dieser letzten traurigen Arbeit, die den Schlußstein im Ringen seines Künstlerbewußtseins bedeutet, im Verein mit dem Suchen nach

71

einem Firnis[1]), der diese vergängliche Malerei vor dem Untergange bewahrt, der verhindert, daß „sie sich halb in den Lüften verliert, halb an die Flügel des alten Saturnus heftet", rieb sich der Genius der Pastellmalerei in dem durch höhere Spekulationen der Kunst entzogenen Maler allmählich auf, bis er jegliches Leben verloren hatte. „Als ich den Salon verließ," sagt Diderot, „trat ich bei La Tour ein; wahrlich ein seltsamer Mensch, der noch mit fünfundfünfzig Jahren angefangen hat, Latein zu treiben und der die Kunst, worin er Hervorragendes geleistet hat, aufgibt, um sich tief in die Metaphysik zu versenken, die ihn schließlich vollkommen närrisch machen wird.

[1]) La Tour suchte sein ganzes Leben lang nach einem zum Fixieren geeigneten Firnis. 1747 sagt der Abbé Le Blanc in seiner *Lettre sur l'Exposition des ouvrages de peinture*, „daß der Firnis La Tours die Dauerhaftigkeit des Pastells befestige, ohne die zarte und weiche Wirkung zu beeinträchtigen; auf diese Tatsache könne man wohl die Hoffnung gründen, daß seinen Werken eine so lange Dauer beschieden sein dürfte, als Werke von Menschenhand eben haben können." Dieses Fixiermittel ist übrigens die große Sehnsucht des ganzen Jahrhunderts. Diese Vorliebe für das Pastell, diese „Mode", die alle Welt zu den Farbenstiften greifen läßt, Männer und Frauen, den Chevalier de Boufflers und Frau Charrière, die die Ausstellungen auf der Place Dauphine mit den Pastellen der Montjoie (deren Lehrer La Tour war), bevölkert, ist begleitet von einem Wetteifer im Erfinden von allerhand Verfahren und Geheimnissen, dieser zarten Malerei etwas mehr Dauerhaftigkeit zu geben. Zwischen 1708 und 1773 kann man im *Avant-Coureur* fortwährend Ankündigungen von Entdeckungen lesen. Man teilt das Verfahren des Prinzen von San-Severo mit, das in der Anwendung von Fischblase besteht. Noch ein anderes Mittel wird empfohlen: man bestreue das ganze Pastell mit fein pulverisiertem Gummi arabicum, löse ihn mit heißem Wasserdampf auf, lasse diesen Überzug trocknen und lege dann noch eine Schicht Ölfirnis darauf. Monpetit greift alle diese Verfahren an, die den Fehler hätten, die Töne der Pastellkreide hart zu machen und zu bräunen, und verweist auf die Erfindung Loriots, die er als die beste betrachtet. Das Geheimnis Loriots wird 1780 von Renou, dem Sekretär der königlichen Akademie, allgemein bekannt gemacht. — Das Geheimnis La Tours endlich, dessen Wirkung man in Saint-Quentin studieren kann, ruht noch in einem eigenhändigen Briefe des Malers verschlossen, den Villot veröffentlichen sollte.

72

13

Trotz der Zartheit seines Körpers, trotz einer Gesundheit, die in jungen Jahren auf recht schwachen Füßen stand, trotz den Anstrengungen eines an Arbeit und Vergnügen verschwenderisch reichen Lebens erreicht La Tour das Alter, ein Alter ohne Gebrechen. Der Greis eilt hinaus ins Grün des Weichbildes von Paris, um dort in ländlicher Stille Erfrischung zu finden. Fast achtzigjährig verläßt er seine Wohnung im Louvre und bezieht in Auteuil ein Häuschen, einen patriarchalischen Ruhesitz; hier besucht ihn der Marschall von Sachsen, und wenn sich der König in der Nähe befindet, läßt er sich stets nach dem Ergehen des Meisters erkundigen. Als er die Achtzig erreicht hat, wünscht er dort, wo er geboren ist, zu sterben[1]); am 21. Juni 1784 zieht er wieder in seine Vaterstadt ein, man begrüßt seine Rückkehr mit Kanonendonner und Glockenläuten; jubelnd umdrängen ihn seine Landsleute, und als er sein Haus betritt, überreicht man dem Künstler einen Eichenkranz, womit Saint-Quentin für Stiftungen seines Wohltäters danken und den Ruhm seines großen Malers ehren will.

Umgeben von der treuen Pflege eines Bruders, überlebte er diese Ovation vier Jahre[2]); Geist und Herz

---

[1]) Eine von Dréolle mitgeteilte Überlieferung macht aus der Rückkehr La Tours nach Saint-Quentin eine Art Entführung. Unter dem Vorwande, ihn nach La Villette zu einem Aufstieg Montgolfiers mitzunehmen, hätte einer seiner Freunde und Landsleute, Herr Cambronne, ihn mit sanfter Gewalt in seine Vaterstadt gebracht.

[2]) La Tour hatte zwei Brüder: den einen, der Bankbeamter wurde, beerbte er, der andere wurde Soldat und erlangte eine gewisse Berühmtheit als Duellant. Diesem zweiten Bruder vermachte er sterbend sein Vermögen und seine Pastelle.

73

waren einer Art rührender Kindheit verfallen, und der schwach und mürbe gewordene Verstand phantasierte von einer die Menschheit und die Natur umfassenden Liebe. Dieser rötlich schimmernde Kopf, der unter dem schwarzen Taftmützchen, womit sich der Maler auch auf seinen Porträts bedeckte, bis zu einem gewissen Grade dem zornigen Kopf Diderots geglichen haben mag, dieses von allerhand Lektüre, Wissenschaft, Mathematik, Politik, Theologie, Metaphysik, Ethik, Poesie berauschte, mit tausendfachen, wirr durcheinander geworfenen Kenntnissen zum Zerspringen vollgepfropfte Gehirn, diese freigebige, jetzt in Unordnung geratene Phantasie, worin das Chaos einer Enzyklopädie und die Utopie einer Revolution herrschten, verstiegen sich in den letzten Erdentagen des Greises zu einer an Geistesstörung grenzenden Erregung. Seine Gedanken verloren sich in eine hochfliegende, aber sinnlose Kosmogonie, und ein leidenschaftlicher Pantheismus legte ihm eine inbrünstige Verehrung der Schöpfung und aller Geschöpfe ins Herz. An einem herrlichen Frühlingstage sank er draußen auf dem Felde in die Knie, dankte Gott für den Sonnenschein, sprach mit den Bäumen, umarmte sie und flüsterte, des Winters gedenkend, diesem oder jenem zu: „Bald wirst du dazu dienen müssen, die Hütten der Armen zu wärmen[1]."

---

[1] *Éloge de La Tour* von Du Plaquet. — *Notice de Bucelly d'Estrées.* — Im Jahre 1785 untersagte ein von Jean de La Tour öffentlich verkündetes Verbot dem alten Maler, sein Vermögen, seine Mobilien und Immobilien abzutreten, zu verkaufen, zu veräußern und hypothekarisch zu belasten, verbot allen ehrenwerten Personen, Verträge irgendwelcher Art mit ihm

74

Er starb am 17. Februar 1788; in den letzten Augen-
blicken seines Todeskampfes soll er die Hände seiner
Diener geküßt haben.

14

Einen „Zauberer" hat Diderot den Pastellmaler
La Tour genannt. Er wird diesen Namen behalten.
Sein Werk ist in der Tat ein Zauberspiegel, in dem, wie
in dem Jungbrunnen des Grafen von Saint-Germain,
die Toten wieder auferstehen und wieder aufleben. Er
läßt uns die Männer und Frauen seiner Zeit schauen.
Aus der Galerie seiner Zeitgenossen löst sich uns die
Physiognomie der Geschichte heraus. Er läßt uns in
jenen wunderbaren „Salon der Ebenbilder" treten, den
an Wahrheit und Gefühl große und reiche Porträt-
schöpfer, wie Holbein und Van Dyck mit der Darstellung eines Hofes oder einer ganzen Gesellschaft
gegründet hatten. Hier sehen wir Prinzen, Würden-
träger, große Herren, vornehme Damen, den königlichen Glanz der Residenz Versailles; dort Köpfe von
Vertretern der Philosophie, der Wissenschaft, der
Kunst, Stirnen, auf denen der Maler Genie entdeckte
und die seine Stifte, so schwerfällig und kalt, wenn sie
„Dummköpfe" zu schildern hatten, mit Liebe und Begeisterung gemalt haben. Fassen wir kurz zusammen,
was La Tour geschaffen und was er uns hinterlassen
hat. Der Pastellkreide, dieser mit ihm in Verfall

---

einzugehen bei Strafe der Nichtigkeitserklärung; irgendwelche daraus er-
wachsenden Verluste müßten die Betreffenden unbedingt selbst tragen.
Und Jean François de La Tour wurde zum Vormund des entmündigten
Maurice-Quentin de La Tour ernannt, um sein Vermögen, sowohl Mobilien
als auch Immobilien, zu verwalten.

75

geratenen Malerei, dem Staub der Epoche sozusagen, hat er gleichsam die zerbrechliche und zarte Unsterblichkeit, die wunderbar täuschende Wirkung von dauerndem Leben entlockt, die die Menschheit seiner Zeit verdiente. In seinem Werke findet man das große und anziehende Porträt jenes Frankreich, das die Tochter der Regentschaft und die Mutter von 1789 ist. Das Museum La Tours ist das Pantheon des Jahrhunderts Ludwigs XV., seines Lebenshauches und seiner Grazie, seiner geistigen Kräfte, aller seiner Talente, aller seiner Ruhmestitel.

NOTIZEN

Die Gerichtsakten von Laon geben uns Aufschluß
über das erste Liebesverhältnis La Tours; er war, als
er es unterhielt, noch nicht neunzehn Jahre alt. Am
15. August 1723 wird die unverheiratete, zweiund-
zwanzig Jahre alte Anne Bougier im Hotel Dieu, wo
sie Aufnahme gefunden hatte und wie eine Wasser-
süchtige behandelt worden war, von einem toten Kinde
entbunden. Auf die Erklärung der Hebamme hin, die
die Tatsache dem Polizeileutnant anzeigte und ihm
gleichzeitig im Namen und auf Kosten der Wöchnerin
zwei Hühnchen und einen Truthahn anbot, wurde die
Inhaftierte, nachdem sie überführt war, ihre Schwanger-
schaft bis zum Tage der Entbindung verheimlicht zu
haben, vor dem Gerichtshof verwarnt, fernerhin keinen
Fehltritt mehr zu begehen und zur Zahlung von drei
Livres verurteilt, die als Almosen der Armenkasse des
allgemeinen Krankenhauses der Stadt Laon zugute
kommen sollten.

Anne Bougier war, wie sie bei ihrer Vernehmung
erklärte, die Tochter von Philippe Bougier, Sänger an
der Metropolitankirche zu Sens, wo er zur Ausübung
seines Amtes wohnte, und von Anne de la Tour, ihrer
Mutter, mit der sie früher in Laon wohnte, wo sie sich
mit Strumpfstricken ernährte; ihre Familie stammte
aus Laon, und ihr Großvater väterlicherseits war dort
im Chor der St. Johanniskirche Sänger gewesen. Ihr
Großvater mütterlicherseits, Jean de la Tour, hatte

77

als Maurermeister in Laon gelebt; sie sagte ferner aus,
daß sie sich immer gut geführt, niemals strafbaren Umgang mit irgendeinem Manne oder Burschen gehabt
hätte, abgesehen von der dreimaligen Umarmung, die
sie ihrem Vetter, dem unverheirateten, neunzehn-
jährigen Maler Quentin de la Tour gestattet, als sie
mit ihrer Mutter in Saint-Quentin wohnte. Weiter
befragt, antwortete sie, daß sie von besagtem La Tour
geschwängert und am 15. August von einem toten
Kinde entbunden worden sei, daß sie aber geglaubt
habe, sie leide an Wassersucht, weil sie nach dem Verkehr mit ihrem Vetter ihre richtige monatliche Reini-
gung gehabt hätte, und zwar acht Tage später, dann
allerdings nicht mehr. (Aufsatz von Charles Desmaze
in der Zeitschrift l'Art vom 13. Februar 1876.)

Desmaze hat bei einer Deszendentin La Tours, bei
Frau Sarazin Varluzel, mehrere an La Tour gerichtete
Briefe entdeckt, die er im *Reliquaire de M. Q. de La Tour*
veröffentlichte. Diese Briefe bestätigen das Liebesverhältnis La Tours mit Fräulein Fel; Desmaze veröffentlicht drei Briefe der Künstlerin. Der erste bezieht sich,
wie es scheint, auf ein gemeinsam gegebenes Diner und
endigt mit folgendem Postskriptum: „Ich habe heute
früh ein Mittel genommen [de la mane (sic)], um mich
von meiner Verstimmung zu befreien, jetzt fühle ich
mich besser." Der zweite, am 5. Januar 1783 an La
Tours Bruder gerichtete Brief dankt dem Chevalier für
seine Versicherung, daß sie zeitlebens das Mobiliar
des Malers benutzen darf. Mit dem Nießbrauch der

78

Möbel scheint auch der Nießbrauch der Pastelle verbunden gewesen zu sein, was wohl aus folgenden Worten hervorgeht: „Herr Dorizon wird Ihnen bestellt haben, daß es an der Zeit wäre, die Risse in der Wand schleunigst beseitigen zu lassen, da sonst, wie sich Herr Paquier geäußert hat, für die Pastelle des Herrn de la Tour die ernste Gefahr einer Beschädigung durch Luft und Nässe fortbestünde." Ein dritter, vom 5. Januar 1788 datierter Brief enthält traurige Einzelheiten über die geistige Altersschwäche des Malers: „Ich bin sehr erfreut darüber, daß sich die Gesundheit Ihres armen Bruders so wacker behauptet; man muß sich nicht darüber wundern, wenn in seinem Alter die Kräfte abnehmen, die Zeit setzt allem ein Ziel, damit muß man rechnen. Ich glaube jedoch, daß es angemessen wäre, ihm klar zu machen, wie schrecklich die *lelerte* es findet, daß er seinen Urin trinkt und zwei Tage lang nichts genießt."

Desmaze besitzt noch einen Brief von Fräulein Fel, ohne biographisches Interesse übrigens, worin die Sängerin eine Bitte des Historikers d'Argenville um allerhand Auskünfte beantwortet.

Außerdem sind mit kürzeren Briefen, Einladungen oder „Billets" vertreten der Erzbischof von Verdun, der den Maler bittet, eine für den Kardinal du Tencin anberaumte Sitzung zu verlegen; der Graf von Egmont, der mit dem Maler ein Zusammentreffen in der Opéra-Comique verabredet, um ihn zu einem Souper nach Passy mitzunehmen, zweifellos zu la Popelinière; der Herzog von Aumont, der Abbé Pommyer, der

79

Augenarzt Demours, Voltaire, Frau Thelusson, die La Tour mit folgenden Zeilen für ihr Porträt dankt: „Mein Mann verreist morgen früh, und Sie, mein Herr, würden ein gutes Werk tun, wenn Sie die Liebenswürdigkeit haben wollten, mit mir zu speisen."

La Tour liebte die Kraftleistungen. Eines Tages setzte er sich in den Kopf, mit allen nur denkbaren Einzelheiten der Charakteristik, so peinlich genau wie nur möglich, das Porträt einer in der Provinz wohnenden Frau zu malen. Er führte diese Idee aus; aber merkwürdigerweise hatte das fertige Porträt mit dem Modell in der Ferne nicht die geringste Ähnlichkeit. (Mélanges de Suard, B. I.)

Der Auszug aus einem Briefe von Ducis bezeugt, wie leidenschaftlich der Wunsch, von dem großen Künstler gemalt zu werden, bei den Zeitgenossen La Tours war. Der Catalogue d'autographes gibt unter dem 18. Mai 1759 einen Auszug dieses Briefes wieder. Es heißt da:

„Ich vegetiere traurig dahin. Ich vermag mir nicht einmal mehr vorzustellen, wie es möglich sein könnte, das Leben meiner Seele aufs neue zu entfachen. Irgendeine große Freude müßte sie aus ihrem Schlummer erwecken; und diese Freude könnte ich wohl nur dem mit Ungeduld ersehnten und erwarteten Porträt von Ihrer Hand verdanken ..."

Brieffragmente, die Courajod in seinen Anmerkungen zum *Livre-Journal* von Lazare Duvaux ver-

80

Maurice Quentin de La Tour   *Voltaire*

öffentlicht hat, deuten den unmöglichen Menschen an, der La Tour war, und alle die Verdrießlichkeiten, die der dem launischen Künstler erteilte Auftrag eines Pastells für den *portraituré* im Gefolge hatte.

Herr von Marigny hat am 26. Februar 1752 das Pastell seiner Schwester, das große Bildnis der Frau von Pompadour, das im Salon von 1755 ausgestellt war, in Auftrag gegeben. Am 24. Juli 1752 ist er gezwungen, im Auftrage der Pompadour ein Schreiben an La Tour zu richten, denn man will „bestimmt" *(déterminément)* wissen, ob er geneigt sei, das Porträt fertig zu arbeiten. Er beklagt sich in diesem Schreiben mit einer gewissen liebenswürdigen Bitterkeit über ein ihm unverständlich gebliebenes Postskriptum, worin der Künstler ihn anklagt, der Urheber, „die unschuldige Ursache" einiger Zwischenfälle gewesen zu sein, die sich während der Arbeit an den beiden Porträts seiner Schwester ereignet hätten. Er schließt mit folgenden Worten: „Seien Sie so freundlich, mein Herr, mir Ihre Beschwerden mitzuteilen und mir gleichzeitig zu sagen, welche Mittel ich anwenden soll, Abhilfe zu schaffen; Sie dürfen jedenfalls versichert sein, daß ich außerordentlich viel von Ihrem Talent halte und glücklich wäre, wenn ich Ihnen das dadurch beweisen könnte, daß ich Ihnen volle Gerechtigkeit widerfahren lasse. Kann meine Schwester darauf rechnen, von Ihnen gemalt zu werden? Sie ist ungeduldig, ihr Porträt beendet zu sehen. Machen Sie den Gefühlen, die Ihrem Beruf entgegengebracht werden, dadurch Ehre, daß Sie so schnell als möglich zur Beendigung dieses Porträts erscheinen, zur Zufriedenheit meiner Schwester, der Sie Dank schuldig sind, und zu der ihres Bruders, dem Sie wohl mit etwas mehr Höflichkeit entgegentreten könnten."

Der Auszug eines Briefes des Abbé Le Blanc an La Tour, datiert vom 12. Mai 1766, wiedergegeben im Catalogue unterm 31. Januar 1854, spricht von einer bevorstehenden Reise des Künstlers nach Holland im Mai dieses Jahres. „Er weiß, daß er morgen nach Holland reist. Er bittet ihn, dem Hofe des Stathouders mitzuteilen, daß sich in Paris bei Herrn Fortier ein schönes Bild des berühmten Vandeck (sic) befindet; es ist das Porträt des Urgroßvaters Seiner Hoheit . . . Die große Berühmtheit des Herrn de la Tour und die allgemeine Ehrerbietung, die man ihm in ganz Europa bezeigt, werden sicherlich allem, was er sagt, Bedeutung verleihen . . ."

Wir entnehmen dem von Desmaze veröffentlichten Reliquaire de M. Q. de la Tour drei beachtenswerte Briefe des Malers. Den ersten hat der Herausgeber in der Sammlung Boutrons gefunden. Er lautet:

„Mein Herr,

Ich danke Ihnen tausendmal für das Wohlwollen, das Sie meinem lieben Freunde Restout bezeigt haben und dafür, daß Sie die Güte hatten, bei der Frau Marquise von Pompadour für meinen Eifer einzutreten. — Er ist so groß, daß ich auf der Stelle abgereist sein würde, wenn es sich nicht als unumgänglich notwendig herausgestellt hätte,

82

*die Porträts hier zu präparieren, um den Schaden, den
sie gelitten, wieder gut zu machen; ich kann die Zeit, die
ich brauchen werde, nicht bestimmen, weil mir der
Kummer furchtbar den Kopf verwirrt hat; aber Sie können
damit rechnen, daß ich alles tun werde, mich nach Kräften
zu beeilen. Die Güte des Königs und die verbindliche Art
und Weise, mit der Sie mir diese Gnade ankündigen, erfüllt mich mit Dankbarkeit und all den Gefühlen, die Sie
in denjenigen erwecken, die nach der Ehre Ihrer Wert-
schätzung und, ich darf wohl auch sagen, Ihrer Freundschaft trachten, wozu sich ehrerbietigst rechnet, mein Herr,*

Ihr ergebenster und gehorsamster Diener

DE LA TOUR.

Paris, 13. Juli 1752

    *Ich ärgere mich nicht mehr, daß ich die Abfahrtstunde
der Post versäumt habe, denn so kann ich noch in
diesem selben Briefe Ihnen Mitteilung über meinen Zu-
stand machen; ich weiß nicht, ob die Arbeit, die ich
gestern nach dem Lesen Ihres Briefes vorgenommen,
oder die Komplikation verschiedener Ideen mich so an-
gegriffen hat, jedenfalls fühle ich eine solche Mattigkeit,
eine solche Entkräftung in den Gliedern, daß ich einen
Fieberanfall befürchten muß; unfähig, einen Gedanken
zu fassen oder mich zu rühren, weiß ich wirklich nicht,
was werden soll; ich hoffte, daß meine Kräfte sich über
Nacht im Bett wieder erholen würden, aber die Ruhe hat
nichts gefruchtet; ich muß nun versuchen, ob mir die
frische Luft gut tun wird, denn es drängt mich, so schnell
als möglich auf die Freundschaftsbeweise zu antworten,
mit denen Sie mich beehrt haben.“*

Der zweite Brief beschäftigt sich mit einem Testament, das einst der Abbé Hubert zugunsten La Tours gemacht hatte. Ein köstlicher Wortschwall ist dieser Brief, worin der bei dem Pastellmaler stark entwickelte pikardische Egoismus einen Teilhaber zu überreden versucht, auf ein vor vielen Jahren getroffenes Abkommen einzugehen; der Ton des ganzen Briefes ist der einer schwungvollen Predigt, und am Schluß setzt La Tour seine Gedanken über das Leben im Jenseits auseinander:

„Ich nehme mit dem größten Schmerz, mein lieber Herr, teil an dem unersetzlichen Verluste, den Sie soeben erlitten haben. Sie sehen, daß man in jedem Alter sterben kann; ich selbst bin vor kurzem von zwei aufeinanderfolgenden Krankheiten heimgesucht worden; die eine hatte ich mir durch eine Verletzung am Auge zugezogen, die andere durch eine unterdrückte Transpiration, wozu dann noch Gicht kam, die mich von Kopf bis zu Fuß quälte; ich glaubte im Zeitraum von vier Wochen zweimal mein letztes Stündlein zu fühlen, und ich muß Ihnen gestehen, daß ich einen höchst schmerzlichen Kummer in tiefster Seele darüber empfand, daß ich das Ende unmittelbar vor mir sehen mußte, ohne so vorsichtig gewesen zu sein, an meinem Testament Änderungen vorzunehmen, die mancherlei bei diesem oder jenem Teilhaber inzwischen eingetretene Ereignisse fordern. Ich habe meine Genesung schnell dazu benutzt, alle meine Papiere in Ordnung zu bringen, wobei mir das meinem Herzen teuerste wieder unter die Hände geraten ist: eine Abschrift des Testaments unseres gemeinsamen Freundes, des Herrn Abbé

84

Hubert; ich ersehe daraus zu meinem Erstaunen, daß er mir eine lebenslängliche, in sicheren Papieren angelegte Rente von 2000 Franken ausgesetzt hat. Außerdem und abgesehen von einer anderen 500 Franken betragenden Rente, die er kurze Zeit vor seinem uns alle betrübenden Tode mir verschrieben hatte; für den Fall, daß ich die Einsetzung zum Universalerben nicht anerkennen will, beauftragt er seinen Herrn Bruder Pierre Hubert mir 1000 Franken Rente auszusetzen, wenn er die Rolle annimmt, die er auf 30 000 Franken schätzt; weigert sich der Bruder, die Rente zu zahlen, so sollen Sie, mein Herr, die Rolle verkaufen und mir aus dem Ertrage dieses Verkaufes 1000 Franken Rente sichern; Sie werden sich erinnern, wie Sie mich bestimmt haben, sie anzunehmen, um sie dann samt meinen Rechten als Universalerbe Ihnen mit 15 000 Franken zu überlassen. Als Sie dann noch die 500 Franken des kleinen Testaments hinzufügten, glaubten Sie wahrscheinlich den Willen des Erblassers genügend erfüllt zu haben. Wir sind jedoch, lieber Herr, alle beide in einem großen Irrtum befangen, denn wenn ich laut Testament die 2000 Franken lebenslänglicher Rente haben soll, außer der kleinen Rente von 500 Franken, die er bei meinem damaligen Alter nur mit acht Prozent verzinsbar eintragen konnte, müßte ich von Ihnen notwendigerweise fünfundzwanzigtausend Livres erhalten haben, und es stellt sich jetzt heraus, daß ich in der Tat nur fünfzehntausend erhalten habe, als Sie die Rolle mit fortnahmen, die unser Freund auf dreißigtausend Livres schätzte. Sie dachten gewiß, da ich nichts von kaufmännischen Angelegenheiten oder irgendeiner

85

Art Geschäftsinteresse verstehe und übrigens sehr nach-
lässig bin, ich könnte sie nicht verwerten oder sonst einen
Nutzen daraus ziehen: nein, Sie sollten sie zu dem Preise
haben, zu dem Sie sie zu haben wünschten. Es bleiben
also noch zehntausend Livres zu zahlen, die Sie mir mit
den entsprechenden Zinsen seither schuldig sind, und
ich halte Sie für viel zu gerecht, als daß Sie hiergegen
Einspruch erheben. Sie müssen keineswegs glauben, mein
Herr, daß mich die Habsucht dazu treibt, Ihnen diese
Vorstellungen zu machen: das Dein und das Mein, die
so oft die Reinheit der Moral besudelt haben, vermochten
über mein Herz keine Herrschaft auszuüben; Habgier
und Sucht nach Reichtümern konnten schon so manches
ehrgeizige Herz infizieren; das meinige ist unberührt
davon geblieben. Ha! Sollte ich mich etwa den wilden,
unechten Leidenschaften preisgeben, die dem Willen des
erhabenen Schöpfers und dem Glück des menschlichen
Geschlechts so stracks zuwiderlaufen, noch dazu in einem
Augenblick, wo ich so dicht vor dem verhängnisvollen
Ende gestanden habe, das uns unseren Schätzen und allen
Leidenschaften, die uns damit verknüpfen, für immer ent-
reißt! Nein, mein Herr; ein edleres Gefühl veranlaßt mich,
Ihnen zu schreiben: ich wünschte, wir könnten, indem wir
die natürliche Billigkeit zur Basis nähmen, unsere eigenen
Richter sein, unsere Vereinbarungen sowohl zum Frieden
Ihres Gewissens, als auch zur Sicherheit des meinigen
treffen; ich sage Gewissen, denn ich glaube, daß die
zwischen uns schwebende Angelegenheit Ihr Gewissen und
auch das meinige angeht: das Ihrige gemäß dem Prinzip,
das der Griffel der Natur dem Menschen ins Herz ge-

86

graben hat, und das da heißt, wir sollen unserem Bruder nicht die Kleider vom Leibe reißen, um sie dann selber anzulegen; das meinige durch eine Folgerung aus diesem selben Prinzip, daß uns unsere Güter als ein geheiligter Schatz anvertraut sind und wir dem Gesetze zu gehorchen haben, sie an diejenigen gelangen zu lassen, denen sie durch die Bande des Blutes bestimmt sind und die dadurch gerechten Anspruch auf ihren Besitz haben. Täuschen wir uns nicht, lieber Herr: Hab und Gut durch schmeichlerisches, falsches und betrügerisches Gebaren an sich bringen oder mit Gewalt entreißen, heißt immer Raub am rechtmäßigen Besitzer begehen. Ich habe mich mit fünfzehntausend Livres begnügt, sowohl für die Rolle, als auch für die gesamte Erbschaft, die wohl über dreißigtausend Livres betragen haben würde, wenn Sie Rücksicht genommen hätten auf die Wünsche und den Willen Ihres Freundes, der auch der meinige war, das muß ich gestehen. Prüfen wir hier jedoch die Dinge mit dem geziemenden heiligen Ernst: Sie wissen selbst sehr gut, daß zur Beschaffung einer lebenslänglichen Rente von zweitausend Livres zu acht Prozent fünfundzwanzigtausend aus dem Vermächtnis unseres gemeinsamen Freundes notwendig sind und daß ich alle meine Rechte nur auf Ihre inständigen Bitten, auf Ihre dringenden Gesuche für fünfzehntausend Livres abgetreten habe. Sie haben alle erdenklichen Überredungskünste angewendet, um mich zu diesem Schritt zu bewegen, und ich habe, als ich einwilligte, nur meine Nachsicht und meine Uneigennützigkeit zu Rate gezogen; nach alledem mögen Sie wohl Ihr Recht vertreten können in den Augen des Ge-

87

setzes, das indessen Beeinträchtigungen um mehr als die
Hälfte nicht zuläßt; aber Sie können nicht Recht behalten
in den Augen des höchsten Wesens, das verlangt, wir sollen
die Wahrheit lieben, wie es selbst die Wahrheit ist; bis-
weilen überläßt es uns unseren Leidenschaften und Irr-
tümern; es verbirgt sich hinter einem Vorhang, tritt dann
aber nur um so schrecklicher hervor, um den Schleier,
den sein Auge durchdrungen hat, zu zerreißen und uns
der Verzweiflung preiszugeben mit einer von Gewissens-
bissen zerfressenen Seele. Ich glaube, mein Herr, Sie
werden ebenso wie ich davon überzeugt sein, daß früher
oder später der Augenblick kommt, da die unrechtmäßigen
Besitzer die heftigsten Gewissensbisse empfinden und da
ihnen im Herzen wie eine heimliche Mahnung der Wunsch
ersteht, weniger Reichtum und mehr Ruhe zu besitzen.
Übrigens dürfte diese schlichte Moral Ihnen keineswegs
fremd sein, mein Herr; ich habe sie ebensosehr aus
meinem Herzen, als auch aus den Werken Ihres Herrn
Bruders geschöpft, für den ich die respektvollste Hochach-
tung hege. Wie unterscheidet er sich so trefflich von den
meisten unserer Priester, die den Geist der Nachkommen-
schaft in Dunkel hüllen mit oft gar zu tyrannischen
und barbarischen Mitteln und mit allerhand listigen
Schlichen, die im höchsten Grade geeignet sind, den
Schleier des Aberglaubens auszubreiten; der Aberglaube
bestärkt dann die Menschen in ihrem unheilvollen Gewalt-
raub und ist ihnen eine Stütze, wenn sie fromm und frech
rechtmäßige Erben betrügen. Ich verbinde hier meinen
Dank mit dem aller jener rechtschaffenen Leute, die Ihr
Herr Bruder erleuchtet hat. Unter Hinweis auf den

88

hellen Schein dieses Sterns wage ich es, mein Herr, Sie aufzufordern, Ihr Gewissen zu versöhnen: prüfen Sie sich, erwägen Sie alles, jedoch genau, streng und unparteiisch; vergessen Sie alles, was ich getan habe, um nur daran zu denken, was ich hätte tun müssen und daran, was Sie selbst hätten tun müssen; versetzen Sie sich, damit Sie die Dinge deutlicher sehen, in den letzten Augenblick Ihres Lebens, wo die Täuschung der Leidenschaften aufhört und man nichts weiter als gemeiner Staub ist, der uns nicht mehr blind macht, der aber schnell und unwiederbringlich vorüberflieht. Wenn in Ihrem Innern eine Stimme laut wird, die für meine Anrechte spricht, so ersticken Sie nicht diese schwache, jedoch edle Stimme, sondern haben Sie die Güte, ihr Gehör zu schenken. Alles übrige überlasse ich Ihrer Überlegung und Einsicht. Ich fürchte fast, Sie mit diesem langen Brief zu langweilen; er ist indessen das Werk eines geheimen Vergnügens, das ich darin finde, mich mit Ihnen zu unterhalten, und Sie würden unrecht haben, wenn Sie ihn von elendem Eigennutz diktiert erachteten. Ich habe den Wohnsitz der Abgeschiedenen aus nächster Nähe geschaut; die Seelen der Gerechten waren von allen menschlichen Leidenschaften befreit, und ich beteure, daß die meinige niemals damit beschmutzt werden soll in der kurzen Spanne, die mir übrig bleibt, sie zu prüfen; ich bin bis heute ehrlich meinem Berufe nachgegangen; alles was ich an Gefühl besitze, habe ich verteilt, auf den Fleiß und das mühevolle Streben, mit meinem Talent das Beste zu schaffen, und auf den Wunsch, tugendhaft zu werden. Das sind die einzigen

89

Leidenschaften, die ich mit ins Grab nehmen möchte. Das lodernde Feuer meiner Jugend hat mich oft zu unbesonnenen und übereilten Seitensprüngen verleitet, die ich nicht genug bereuen kann; ich gestehe Ihnen dies offen, aber es hat doch niemals in mir jene freche Gottlosigkeit hervorgerufen, die nicht davor zurückschreckt, den Herrn aller Wesen von seinem Throne herunterzustürzen, welcher Thron alles, was in der Unermeßlichkeit des Raumes existiert, umarmt, schützend bedeckt und sondert, und die Seele zu vernichten, anstatt der Materie, jedem kleinsten Teilchen davon, das Gefühl, den Geist und selbst etwas von jener höhern Intelligenz zu verleihen, die sich in den Werken der großen Genies aller Zeiten offenbart. Ich glaube mit Pascal, daß die Sehnsucht nach Unsterblichkeit in uns selbst mit der Wahrheitsliebe, der Gerechtigkeitsliebe und dem Wohltätigkeitstrieb verbunden ist, und daß diejenigen, die genau allen Regungen dieser Gefühle folgen, belohnt sein werden durch die immer neue Wonne, die höchste Weisheit bei der Lenkung der Schicksale so vieler Millionen Menschen zu beobachten, und durch das köstliche Glücksgefühl, über die wunderbaren, ganz geheimen und tief verborgenen Triebfedern der göttlichen Vorsehung nachdenken zu dürfen. Welch eine Menge von Dingen gibt es in dem umfassenden und vielgestaltigen Getriebe dieser Welt zu überblicken! Ich wünsche mit Ungeduld, ehe ich dieses so glänzende Schauspiel genieße, Herrn von Voltaire umarmen und ihm danken zu können für alle Dienste, die er, mehr als alle Philosophen zusammengenommen, der Vernunft, der Gerechtigkeit, der Menschheit dadurch geleistet hat, daß er sich zum tat-

90

kräftigen Beschützer der Calas, Sirven und anderer Unglücklichen machte, die seiner Hilfe bedurften gegen die Ungerechtigkeiten, die man ihnen zufügte oder ihnen zufügen wollte. Nach Ablegung dieses Glaubensbekenntnisses nehme ich an, Sie werden sicherlich überzeugt davon sein, daß meine Ansichten durchaus verständige sind, daß ich immer die Wahrheit liebe, die ewig das Idol meiner Seele bleiben wird, und daß der Anblick des Todes mich nicht in kindische Schwachheit hat verfallen lassen. Die großen, die erhabenen Wahrheiten haben von Ewigkeit her bestanden, sind also lange, lange vor uns dagewesen und werden für immer alles, was nach uns kommen wird, überleben. Die natürliche Billigkeit ist zweifellos eine dieser unzerstörbaren Wahrheiten und vielleicht die vornehmste von allen; darum erlaube ich mir, Sie nochmals daran zu erinnern, und ich kann nicht umhin, hiermit die Versicherung meiner freundschaftlichen Gesinnung zu verbinden, womit ich, mein Herr, die Ehre habe zu sein, Ihr ergebenster und gehorsamster Diener

DE LA TOUR.

Geschrieben in den Galeries du Louvre am 6. Nov. 1770.

In dem dritten von Desmaze wiedergegebenen Briefe, der sich mit der Stiftung des Malers zugunsten siecher Handwerker seiner Vaterstadt und armer Wöchnerinnen beschäftigt und wohl eine deutliche Erinnerung an Anne Bougier verrät, drückt sich La Tour folgendermaßen aus:

91

„Mein Herr,

*Ich billige mit Genugtuung die Art und Weise der Ver-
teilung und die treffliche Verwendung der jährlichen
600 Livres betragenden Zinsen jenes Kapitals von 12 000
Livres, das Sie auf meine Bitte hin so gütig waren, bei
der Stadtkasse anzulegen, um meinem Wunsche gemäß
gebraucht zu werden zur Pflege armer Wöchnerinnen und
zur Unterstützung hinfälliger oder kranker Handwerker
von ehrenwertem Charakter, die namentlich im Winter
bei einem solchen Zustande keine Möglichkeit haben,
sich durch Arbeit ihren Lebensunterhalt zu verdienen.*

. . . .

*Da es meine Absicht ist, den wirklich Armen zu
helfen, werden die Herren Verwalter, welche die Unterstützungen verteilen, gebeten, nicht auf Empfehlungen
Rücksicht zu nehmen, diese Wohltaten nicht ihren Be-
dienten oder Leuten, die ihnen gefällig gewesen sind, zu-
kommen zu lassen, außer wenn ihre Armut größer erscheint als die jener Leute, die ihnen nicht nahe stehen.
Nur wirklich arme, ehrenwerte Männer, die durch
Krankheit oder Entkräftung außerstande sind, zu arbeiten, und schwächliche Frauen oder Wöchnerinnen
sollen diese Unterstützungen genießen. Ich betrachte alle
Menschen ohne Ausnahme als Brüder und als ein Werk
des Schöpfers. Glaubensverschiedenheit darf niemals ein
Grund für die Abweisung sein; alle Konfessionen müssen
ohne Unterschied Aufnahme finden; um jedoch nicht
dem Laster und der Zügellosigkeit Vorschub zu leisten,
schließe ich von auswärts kommende Mädchen und
Frauen, zumal Ausländerinnen, aus, abgesehen natürlich*

92

von besonderen Fällen, die unbedingte Berücksichtigung verdienen. Wollen Sie bitte, mein Herr, die Güte haben, den wirklich Armen klar zu machen, daß ihnen die Unterstützungen durch einen Wink der Vorsehung zuteil werden, daß sie Gott Dankbezeugungen schuldig sind mit dem Bestreben, ihm zu gefallen, und für denjenigen zu beten, dessen Hände die Vorsehung benutzt hat, ihnen diese Hilfe zu verschaffen."

. . . .

Dieser in den Galeries du Louvre geschriebene Brief ist vom 2. März 1778 datiert.

La Tour ist fortwährend bemüht gewesen, von allem, was er zur Ausübung seiner Kunst braucht, von jeder Art Material und von jeder Art Werkzeug das Beste aufzutreiben. Wir finden in einem Autographen-Katalog vom 25. März 1852 eine als Rat der Académie de Peinture et de Sculpture unterzeichnete Bescheinigung, worin der *maître pastelliste* bestätigt, die Farbenstifte des Herrn (sieur) Nadaud des Beifalls der Herren Renou und Descamps würdig gefunden zu haben. Dieses Blatt ist vom 5. Juli 1781 datiert.

.

93

GREUZE

1

In den „*Liaisons dangereuses*", diesem großen Buche
der Laster, findet sich ganz unvermutet eine Seite,
die in schroffem Gegensatze steht zu allem, was vorausgeht, allem, was folgt, allem, was sie umgibt. Die
Szene nämlich, wo Valmont in einem Dorfe einer
armen Familie, die die Steuern nicht zahlen kann,
die erbärmliche Habe vor der Pfändung rettet. Der
Steuererheber zählt seine 56 Livres. Die ganze Familie, fünf Personen an der Zahl, weint vor Freude
und Dank, daß sie dem Elend entronnen ist; wohl
fließen Tränen, aber es sind Freudentränen, und sie
verklären das gute ehrwürdige Gesicht des Ältesten.
Um die Gruppe flüstern die Dorfleute, ihre Segens-
wünsche werden laut, und ein junger Bauer, der eine
Frau und zwei Kinder an der Hand führt, umringt
mit seiner Familie in andächtiger Verehrung Valmont,
und sie knien vor ihm nieder, wie vor einer Mensch
gewordenen Vorsehung, wie vor dem Bilde Gottes.

Diese Seite in dem Buche von Laclos, das ist Greuze
im achtzehnten Jahrhundert.

2

Greuze wurde am 21. August 1725 in Tournus geboren. Seine Familie, die aus der Gegend von Chalon-
sur-Saône stammte, gehörte nach der Angabe der

Biographen dem besseren Bürgerstande an und war stolz auf das Andenken eines Vorfahren, der General- prokurator bei der königlichen Gerichtsbarkeit und Lehnsherr von Guiche gewesen war. Greuzes Ge- burtsurkunde zerstört diese Annahme, indem sie Jean Greuze zum Sohn eines Dachdeckermeisters stempelt. Seit seinem achten Jahre war Zeichnen sein Spiel und sein liebster Zeitvertreib. Sein innerer Beruf machte sich gebieterisch geltend und begann ihn zu beherrschen. Aber der Dachdeckermeister hatte über die Zukunft seines Sohnes entschieden. Er bestimmte ihn für das Baufach. Da dem Kinde das Zeichnen verboten wurde, versteckte es sich von nun an und opferte seinen Schlaf, um von dem Vater nicht ent- deckt zu werden und seiner Neigung zu folgen. Eine Federzeichnung, die Kopie eines Jakobuskopfes, die er seinem Vater zum Namenstage schenkte und die dieser für einen Stich hielt, eröffnete ihm endlich die ersehnte Laufbahn. Der Dachdecker beschloß, seinen Sohn nach Lyon zu schicken und ihn bei Grandon, dem Vater von Grétrys Frau, studieren zu lassen. Das Atelier Grandons war eine richtige Gemäldefabrik: Greuze lernte dort nichts weiter, als jeden Tag ein Gemälde herzustellen. Nachdem dies Ziel erreicht war, beengte ihn die mechanische Arbeit; er fühlte, wie sich seine Kräfte regten, nach einem großen Wirkungs- kreis verlangten, und so kam er nach Paris mit all seinen Träumen, seinen ehrgeizigen Wünschen, einem bereits ganz persönlichen, doch noch unausgereiften Talent und seinem Bilde: *Der Familienvater erklärt die Bibel.*

98

In Paris verschwand Greuze. Man findet ihn in keinem Atelier. Er arbeitet ganz in der Stille, in Dunkelheit und Einsamkeit. Er malt kleine Bilder, um sein Leben zu fristen, lautlos, namenlos, arbeitet ohne Lehrer an seiner Ausbildung und entwickelt sich aus sich selbst heraus. Die Öffentlichkeit weiß nichts von ihm, das Bild, mit dem er sein Glück versuchen wollte, findet keinen Käufer. Einzig der Bildhauer Pigalle ahnt, daß etwas in ihm steckt, hält seinen sinkenden Mut aufrecht und prophezeit ihm eine schöne Zukunft. Außer dieser Ermutigung ist er nur von Übelwollen, Feindseligkeit und Neid umgeben. In der Akademie, wo er zeichnen will, weist man ihm ohne Rücksicht auf sein Talent den schlechtesten Platz an. Endlich empört sich sein schon an sich leicht verletzter Stolz[1]. Seine Werke in der Hand läuft er zu Sylvestre. Der ehemalige Zeichenlehrer der königlichen Kinder ist erstaunt und entzückt. Greuze erhält die Erlaubnis, sein Porträt zu malen, das er unter den Augen seiner Rivalen und Kollegen zur größten Zufriedenheit Sylvestres vollendet, der ihn unter seinen Schutz nimmt und am 28. Juni 1755 seine Aufnahme in die Akademie veranlaßt.

---

[1] Es existiert ein Zeugnis für den Hochmut, mit dem Greuze in der Akademie die Belehrung des Professors aufnahm. In einer Mappe mit französischen Zeichnungen aus dem XVIII. Jahrhundert, die vom Bischof von Callinique stammt und in der Bibliothek des Arsenals bewahrt wird, befindet sich ein männlicher Akt. Eine Anmerkung darunter berichtet, wie Natoire, der damals Lehrer war, nachdem er die Aktzeichnung gelobt hatte, Greuze darauf hinwies, daß sie etwas verkrümmt sei. Hierauf antwortete Greuze: „Sie wären ja froh, wenn Sie sie so machen könnten." (*Archives de l'Art français* Band VI.)

Doch Greuze hatte bereits den Schatten verlassen, in welchem er geheimnisvoll herangewachsen war. Ein Kunstfreund, der wirklichen Geschmack, Spürsinn und eine feine Nase besaß, ein verständnisvoller, leidenschaftlicher, echter Sammler, der die feinsten Stücke französischer Kunst zusammentrug, der Mann, der vor allen andern es verstand, sich einen Künstler in seiner Blüte, ein Talent in seiner ersten Frische, einen noch schlummernden Ruhm zu sichern, Herr de la Live de Jully, hatte den *Familienvater* angekauft und in seinem Hause sozusagen eine öffentliche Ausstellung veranstaltet, zu der er alle Künstler und Kunstfreunde eingeladen hatte. Das Bild hatte einen Sturm von Begeisterung erregt. Der schöne Greisenkopf, so kraftvoll gesund und heiter, so ehrwürdig und ungekünstelt, der an die greisen Landleute des Rétif de la Bretonne erinnert und wie eine lebendig gewordene Gestalt aus dem „Leben meines Vaters" erscheint; neben seinem weißen Haar in lachender Jugend die beiden reizenden Bübchen, um deren blonde Köpfe das Sonnenlicht spielt; das älteste in seinem zu kurzen Röckchen mit dem schönen Kraushaar, das unter dem Dreimaster *à la Grève* gescheitelt ist, die Augen unverwandt auf den Vater geheftet; die Frauen, zwischen denen ein erstauntes, unbewegliches Kinderköpfchen hervorguckt, das Kinn auf den Tisch gestützt; die Mutter in ruhiger Andacht, voll ernsten Vertrauens; die Tochter, die, ganz in sich zusammengesunken, die Arme hängen läßt und voll kindlicher Wißbegierde mit großen Augen lauscht; dazu das Weiß der Hemden und der länd-

100

lichen Kleidung, das Greuze wiederbelebt und das
seinem Werke etwas von keuscher Sinnlichkeit gibt,
sowie das Belebte der ganzen Komposition, die liebe-
volle Ausführung aller Einzelheiten, die unruhigen
Ecken mit dem Kinderlärm in dieser Szene voll reli-
giöser Sammlung und Erbauung, bis herab zu dem
kleinen Strolch, der ganz hinten neben der spinnenden
Großmutter den Hund zum bellen reizt: alles wurde
gewürdigt, ja bewundert von der erlesenen Gesellschaft, die zu Herrn de la Live strömte. Und als das
Bild im Salon von 1755 ausgestellt war, bereitete das
Publikum, das auf den Mann und sein Talent schon
gespannt, schon ihm günstig gestimmt war, diesem
Werke Greuzes einen förmlichen Triumph.

Wenngleich Greuze wie berauscht war, fühlte er
doch, daß seinem Talent eine letzte Vollendung, ein
Abschluß fehlte: die Reise nach Italien. Er reiste in
den letzten Monaten des Jahres 1755. Frau von Valori
behauptet, daß er auf eigene Kosten fuhr; man darf
annehmen, daß sie im Irrtum ist. Greuze war der Be-
gleiter und zweifellos auch der Gast des Abbé Gougenot,
den die Akademie am 10. Januar 1756, während er
noch in Italien war, zum Ehrenmitglied ernannte, um
ihm irgendwie für seine Mühe zu danken, „daß er
Herrn Greuze nach Italien geführt habe, dessen heute
allbekanntes Talent sich erst entwickelte und ihm den
Titel des Akademikers gewann". Bis zu Prudhon
gleitet Italien und seine Museen, die italienische wie
die antike Kunst an unsern Künstlern ab, ohne Eindruck auf sie zu machen; ihre Zeit, ihr Geschmack,

101

Frankreich und das achtzehnte Jahrhundert widerstreben in ihnen dem Vorbild, der großen Vergangenheit, der Anziehungskraft der Meisterwerke; sie machen die Lehrzeit in Rom durch, ohne das geringste daraus mitzunehmen.

Was brachte nun Greuze von dieser Italienreise mit, die sein Talent ebensowenig beeinflußte wie das Talent Bouchers? Eine Erinnerung, die sein Leben lang in all den andern Abenteuern lebendig und gegenwärtig blieb, eine Liebesgeschichte, die Greuze im Alter oft unwillkürlich erzählte, wenn Frauen in seinem Beisein allzu laut die Selbstlosigkeit der Männer in Liebeshändeln in Abrede stellten. Die Anekdote ist reizend und durch Frau von Valori hinreichend beglaubigt, um erzählenswert zu sein. Sie ist in der Zeit Casanovas wie der letzte Hauch der alten lieblichen Legenden, die das Genie Shakespeares anregten. Es haftet ihr etwas an von dem auserlesenen Duft aus dem Lande Armidens, aus dem Garten Italiens, wo unsere jungen Künstler mehr als ein Jahrhundert lang so viel Liebe gefunden haben. Es schlingt sich ein ununterbrochenes Band um alle, denen Italien Zeitvertreib oder Glück, die Geliebte oder die Gattin gibt, die es mit Leidenschaft berauscht und mit dem Kusse zu hochfliegender Träume tötet!

Greuze hatte Empfehlungsbriefe an den Herzog von Orr... erhalten, der ihn mit vollendeter Liebenswürdigkeit aufnahm. Der verwitwete Herzog hatte eine reizende Tochter, die gern malte und deren Lehrer Greuze binnen kurzem wurde. Nach wenigen Stunden

102

entdeckte Greuze, der sich in Lätitia, so hieß seine
Schülerin, verliebt hatte, daß diese Liebe erwidert
wurde; doch mit Schrecken sah er die Kluft, die Geburt und Reichtum zwischen sie legte; er floh die Versuchung und kam nicht wieder in den Palast. In Gram
versunken, von den Spottversen seiner römischen
Kameraden, dem Hohne Fragonards verfolgt, der ihn
nur noch „den verliebten Cherubin" nannte — Greuzes
blondes Kraushaar legte diesen Vergleich nahe —,
erfuhr Greuze, daß die junge Fürstin krank sei, man
aber die Ursache ihres Leidens nicht finden könne.
Nun irrte er um den Palast, fragte, forschte nach Nach-
richt und wollte der Kranken alles gestehen. Inmitten
dieser Nöte und Ängste zeichnet er eines Tages in
St. Peter; hier trifft ihn der Herzog und nimmt ihn
zur Besichtigung einer Neuerwerbung, zweier Tizia-
nischer Köpfe, mit in den Palast. „Meine Tochter,"
setzte er hinzu, „freut sich darauf, sie zu kopieren,
sobald sie wieder gesund ist; hoffentlich kommen Sie,
um die Arbeit zu überwachen, es ist ihr eigener Wunsch."
Und als der Herzog Greuze um eine Kopie bittet,
die er sofort einem Verwandten schicken will, kann
Greuze nicht ablehnen; er kommt von neuem in den
Palast und arbeitet dort den ganzen Tag. Jeden Morgen
erkundigt er sich nach dem Befinden Lätitias bei ihrer
Amme, der unsterblichen Amme der *Novellieri*, die
das Geheimnis Lätitias schon erraten hat, das Geheimnis Greuzes errät und eilig der Kranken die Ge-
wißheit seiner Liebe bringt, die er, nach ihrer Meinung
nur aus Ehrfurcht und aus Angst zu mißfallen, nicht

103

gesteht. Noch mehr: sie holt Greuze, führt ihn insgeheim in das Zimmer der kranken Prinzessin, die ganz abgemagert ist, aber *immer noch ihren schönen Kleopatrakopf hat.* Nach einem anfänglichen Schweigen gestand die Prinzessin auf das Zureden ihrer Amme Greuze ihre Liebe. — „Ja," wiederholte sie im nächsten Augenblick, „Herr Greuze, ich liebe Sie! Antworten Sie ehrlich, lieben Sie mich?" Und als Greuze vor Glück und Seligkeit verstummte, verbarg die Prinzessin, die sein Schweigen mißdeutete, ihr Gesicht in den Händen und brach in Tränen aus. Nun warf Greuze sich ihr zu Füßen, seine Küsse sprachen, er schüttete ihr sein übervolles Herz aus. „So darf ich glücklich sein!" rief Lätitia. Sie klatschte fröhlich wie ein Kind in die reizenden Hände, lief zur Amme und umarmte sie, sprach unaufhörlich von ihrem Glück, wie man am Morgen einen Gedanken wiederholt, mit dem man lächelnd erwachte. „Jetzt hört beide zu; ich denke mir die Sache so: ich liebe Greuze und heirate ihn." — — — „Aber Kindchen, was fällt dir ein?!" rief die Amme; „und dein Vater?" — „Mein Vater wird seine Einwilligung nicht geben, meinst du, Amme?! Er wird sie nicht geben, das weiß ich genau; ich soll seinen langweiligen Casa heiraten, diesen uralten, gräßlichen Menschen, oder den jungen Grafen Palleri, den ich nicht kenne und auch nicht kennen lernen will. Ich bin reich durch das Vermögen meiner Mutter, kann darüber verfügen und gebe es Greuze, den ich heirate und der mich nach Frankreich bringt, wohin du uns folgst." Sie berauschte sich an der Zukunft und

104

machte in reizender Geschäftigkeit bis ins Kleinste Pläne für das Leben, das sie in Paris führen wollten: Greuze sollte weiter arbeiten, er würde ein Tizian werden, der ihr Lieblingsmaler war, ihr Lieblingsmeister, und ihr Vater würde schließlich stolz sein auf seinen Schwiegersohn. „Willst du nicht?" fragte sie Greuze ganz naiv. Und der Traum begann von neuem, noch törichter, noch berauschender. Als Greuze sie wiedersah, hatte er ernstlich nachgedacht. Die Prinzessin neckte ihn mit seiner verschlossenen, ernsthaften Miene, bekämpfte seine Gründe mit übermütiger Zärtlichkeit, geriet dann in Zorn, schalt ihn hinterlistig, warf ihm vor, er habe ihr Liebe geheuchelt, um ihr Herz sicherer zu zerreißen, schluchzte und raufte sich das Haar. Greuze stürzte ihr schließlich zu Füßen und schwor ihr blinden Gehorsam. Als die Zusammenkunft zu Ende war, kehrte seine Ruhe wieder, er sah die Dinge in ihrem wahren Lichte, die Verzweiflung des Vaters, seinen Fluch, seine Rache, alles Unheil, das auf ihre Liebe fallen mußte. Und um nicht wieder nachzugeben, Lätitia nicht wiederzusehen, seine Entschlüsse nicht mehr vom Hauch ihres Mundes verwehen zu lassen, heuchelte er Krankheit, die bald zur Wirklichkeit wurde. Sie fesselte ihn drei Monate mit Fieberphantasien ans Bett.

Als Greuze genesen war, stand die Prinzessin im Begriff, sich zu verheiraten. Sie wollte nur ein Wort des Malers, um ihre Heirat rückgängig zu machen, sie bat und flehte darum. Greuze besaß die Kraft, dieses Wort nicht zu sprechen. Jedoch von rasender Eifersucht gegen den Verlobten der Prinzessin erfaßt, der jung war und schön, geschaffen, um eine Frau zu fesseln, floh der Maler nach einem letzten Abschied, nahm aber heimlich eine Kopie des Bildes mit, das er von Lätitia für ihren Vater gemalt hatte, eine Kopie, die dem Liebenden teuer war, den Künstler aber später zu dem reizenden Bilde *die Last einer Krone* anregte, auf dem man die Unschuld zu sehen meint, die der Liebe beichtet, ein Basrelief von Dorat, über das die Glut Anakreons streift. Und stand das Bild dieser Frau ihm nicht noch vor Augen, in Herz und Sinnen, als er *das Gebet an die Liebe* malte mit der schönen Brünette im offenen Haar, mit den herrlichen, dunklen, flehenden Augen, den gefalteten Händen, ganz versunken in glühendes, schmerzvolles Flehen? Am Rande des Kupferstichs liest man eine Widmung an die Fürstin Pignatelli. Unwillkürlich stutzt man bei dem Namen der italienischen Fürstin, der hier wie eine Weihe steht, vielleicht als Lösung und Schlüssel zu den trügerischen Initialen, mit denen Frau von Valori zweifellos einen Schleier über die Geliebte und die Liebe des Malers gebreitet hat.

3

1757 stellte Greuze eine Reihe von italienischen Sujets aus, italienisch freilich nur in den Kostümen, den Staffagen, den *fiascone* mit Orvietowein. Greuze, man muß das wiederholen, bleibt in Italien Franzose; er bleibt unberührt von der römischen Luft, dem römischen Unterricht, der Schönheit und Größe der

106

italienischen Kunst. Er bleibt der Schüler des Pariser
Meisters, dessen Szenen er bis auf die Titel in seinen
koketten Nachahmungen des *Tischgebets* und der
Scheuerfrau wiederholt. Doch neben diese mäßigen,
lärmenden, ausdrucks- und wirkungslosen Bilder, in
denen man die grellen Töne Bouchers in der Komposition eines Chardin-Schülers zu sehen wähnt, stellt
Greuze zwei Köpfe, einen Knaben- und einen Mädchen-
kopf, die lächelnd die reizende Galerie seiner Kinder-
bildnisse eröffnen und mit denen die Grazie seines
Werkes beginnt und offenbar wird. Noch heute tritt
hier Greuzes Zauber, seine Begabung, seine Eigenart,
seine Stärke zutage und zeigt sich einzig hier in diesen
Kinderköpfen. Sie allein entschädigen für alle Schwächen
und Unrichtigkeiten, alle Mängel der Farbe, die auf
seinen großen Bildern sichtbar sind: das unsaubere
Weiß, die gleichzeitig stumpfe und graue Farbenskala,
die dünnen violetten und wie ein Taubenhals schillern-
den Töne, das unbestimmte Rot, das schmutzige Blau,
den weichlichen, verschmierten Grund, die harten
Schatten. Seit die Mode sich von diesen einst viel-
bewunderten Bildern abgewendet hat, möchte man
sagen, das Licht sei von ihnen gegangen; es ist eine
Porzellanmalerei, die ins Schwärzliche fällt. Sieht man
aber einen dieser kleinen Blondköpfe an, die ein Lichtstrahl wachküßt und die Sonne umkost und streichelt,
so spürt man, daß es die Hand eines echten Malers,
eine begnadete Hand war, welche diese vom Pinsel
hingestrichenen Wangen mit dem Rot der Gesundheit
geschmückt, diese junge Stirn, von der der lichte Tag

107

strahlt, gewölbt und geglättet, in dieses blaue Auge
den Glanz und das Licht gelegt, einen schmeichelnden
Schatten unter die angedeutete Braue gemalt, aus dem
feingebogenen Munde zwischen den runden Wangen
ein Engelsmäulchen geschaffen hat. Nichts Frischeres,
Lebensvolleres, nichts, was mit größerer Leichtigkeit
hingeworfen wäre: der Ton ist zart und wie in Öl getaucht, der Farbenauftrag gibt dem Fleisch, das er
nur streift, etwas Blühendes. Der erwachende Ausdruck, die kaum entwickelten Formen scheinen unter
dem leichten Pinselstrich, der mit ihnen spielt, zu
beben wie die Natur bei Tagesanbruch. Ein voll-
saftiges Leben pulst in all diesen kleinen pausbäckigen
Geschöpfen, die man schon in strotzender Lebensfülle
auf den Familienbildern des van Dyck gesehen zu
haben meint[1]).

Greuze, der Maler der Kindheit, ist ein Meister,
sobald er den Kopf des jungen Mädchens darstellt.

[1]) Es dürfte von Interesse sein, hier ein Schreiben Greuzes wiederzugeben, das an Ducreux gerichtet ist und gewissermaßen den Katechismus
seiner Kunst enthält:

„Machen Sie Ihre Arbeiten so weit wie möglich fertig, übermalen Sie,
wenn es sein muß, dreißigmal; den Untergrund, der dick aufgetragen werden
soll, müssen Sie auf einmal zu machen versuchen, Sie können später ruhig
übermalen, die Lasuren ausgenommen; tragen Sie Spitzen und Schleier nie
dick auf, seien Sie reizvoll, wenn Sie nicht wahr sein können, malen Sie
Ihre Köpfe nie über Lebensgröße, aber soviel wie möglich auch nicht kleiner.
Machen Sie Zeichenstudien, um Ihrem Gedächtnis Schönes einzuprägen,
besonders zeichnen Sie Landschaften, damit Sie harmonisch werden, unternehmen Sie nichts, was Sie nach Ihrer Begabung nicht wirklich ausführen
können, und übereilen Sie sich nicht, suchen Sie Ihre Schatten, wenn möglich, festzulegen und vor allem in den breiten Flächen abzustoßen, und
dann setzen Sie die Töne nicht auf, ohne sie zuvor von hell zu dunkel ab-
gestimmt zu haben, Sie werden immer sicher sein, daß sie sich scharf heraus-
heben. Bevor Sie malen, machen Sie vor allem Zeichenstudien." (Handschriftliche Notiz von Greuze, mitgeteilt von A. Wyatt-Thibeaudeau.)

108

Es ist eine Glanzleistung, wie er diese Schönheit wiedergibt, die in den Zügen des Kindes das erwachende Weib
ahnen läßt. Er hat hier köstlich feine, weiche Töne für
das flatternde, leicht gepuderte Haar, das von einem
Bande nur lose gehalten wird, für den goldig schim-
mernden Haaransatz auf der Stirn, für das Netz der
blauen Äderchen an der Schläfe. Er gibt dem Auge des
jungen Mädchens Tiefe und verschleierte Glut; er versteht dem Blick das „Schwimmende" zu geben, den
weichen Ausdruck, den feuchten Glanz, vermag in einer
süßen Träne, die noch an den Wimpern hängt, Rührung
oder Leidenschaft zittern zu lassen. Er beseelt alles mit
Jugend: die Nasenflügel beben, ein leiser Hauch öffnet
den Mund, die vollen Lippen schwellen und heben
sich, als ob sie atmeten. Ein paar kräftige, dickauf-
getragene Striche in den durchsichtigen Farbtönen,
ein paar Lichtstreifen in den flüchtigen Halbschatten,
die über dem verschwommenen Grunde aufleuchten,
mehr braucht Greuze nicht, um all diese süßen Gesichtchen auf die Leinwand zu zaubern, diese rosigen
Farben, dieses weiße, weiche, warme, lebensvolle,
sonnendurchflutete Fleisch, diese schlanken Hälse,
diese Schultern, deren jugendliche Fülle die Augen
wie ein Taubenpärchen schmeichelnd lockt, diese kleinen, erst vor kurzem schwellenden Brüste, über die
spielend der Widerschein eines Schleiers gleitet. Es
sind glückliche Augenblicke des Koloristen, vom In-
stinkt gemalt, und mit einem Schwung vorgetragen,
der manchmal an den großen Meister gemahnt, dessen
Eigenart Greuze im Luxembourg studierte, dessen

109

Malerei er förmlich ausspürte, wenn er, die Nase stundenlang auf der Leinwand, mit seinem Freunde Wille zusammen auf der Leiter saß: Rubens! Und kommt man nicht wieder und wieder auf diesen Namen zurück als die Quelle all unserer französischen Talente? Alle stammen sie von diesem Vater ab, diesem großen Beginner, Watteau wie Boucher, Boucher wie Chardin. Durch hundert Jahre scheint die Malerei Frankreichs keine andere Wiege zu haben, keine andere Schule, keine andere Heimat, als die Galerie des Luxembourg, das Leben der Maria von Medici: Hier ist der Sitz der Gottheit.

Schon zu Greuzes Lebzeiten waren diese Köpfe ein Leckerbissen für die Kenner, eine Versuchung für die feinsinnigen Kunstliebhaber. Man muß die freudige Erregung des Kupferstechers Wille erleben, als er sie kauft, den Stolz, mit dem er die Erwerbung in seinem Tagebuch vermerkt, die Energie, mit der er sie vor der Begehrlichkeit des Grafen von Vence schützt. Er begeistert sich an ihrer Schönheit, er reiht sie als kostbar unter die kostbarsten Malereien der Zeit, er bedeckt sie mit ganz neuen, glänzenden Goldstücken. Trotzdem sein Name viel genannt wurde, war der Maler nichts weniger als reich, und in seinen knappen Anfängen war dieser Enthusiasmus des Freundes für die Mädchenköpfe, die so leicht aus seinem Pinsel flossen, eine Gunst des Schicksals. Wille hilft ihm, fördert ihn, rühmt ihn, macht ihn bekannt, schafft ihm Verbindung mit Deutschland, dem großen Markt, dem großen Absatzgebiet der französischen Kunst. Er

110

schickt die Fremden, die zu ihm kommen, um ihre Bilder zu bestellen, zu Greuze und erweist ihm tausendfache Dienste, die Greuze ihm später mit einem Meisterwerk vergilt. Als Wille eines schönen Tages bei Frau Greuze zur Schokolade eingeladen war, bat ihr Mann ihn, sich in die Nähe seiner Staffelei zu setzen, und seine herzliche Dankbarkeit riß Greuze zu solcher Begeisterung hin, daß er von dem sächsischen Kupferstecher mit den harten Zügen, den kupferigen Wangen, den kleinen, entzündeten, unruhigen Augen das schöne Bild malte, dessen kräftige, lebensvolle Malerei alles vergessen läßt, was das Modell Undankbares hatte.

Greuzes Ausstellung im Salon von 1759 hatte beim Publikum Erfolg. Zwei Jahre später, 1761, errang ein Bild, das erst während der Ausstellung fertig wurde und nur die letzten zehn Tage des Salons ausgestellt war, *Die Dorfbraut*, einstimmige Bewunderung. Es war ein Aufruhr der Begeisterung, ein Beifallsjauchzen, ein ungeheurer Erfolg, der die Salons erfüllte, ja selbst bis auf die Bühne drang: in der *Hochzeit des Harlekin*, die im selben Jahre gegeben wurde, erwies ihm das italienische Theater die bisher beispiellose Ehre, sein Bild auf der Bühne darzustellen. Das Publikum hatte keine Augen für die Disharmonie der Farben, den Mißklang der Töne, die Fehler der Nuancen, die Unruhe der Lichter, für alle Mängel und Unzulänglichkeiten in der Ausführung des Kunstwerks: es war geblendet, entzückt, ergriffen von der Handlung, der Idee, der Empfindung, die in dem Bilde lag. Man sah nur die Biederkeit des alten Vaters, die glückliche

111

Bewegung, mit der die Mutter die Tochter ein letztes Mal in die Arme schließt, die Betrübnis der jüngeren Schwester, welche die Tränen zurückdrängt, die naive Neugier des Kindes, das auf den Zehen steht, die reizende Gruppe des Brautpaars, die schamhafte Verlegenheit im Glück des jungen Mädchens, wie Liebe und Abschiedsweh, das Herz der Tochter und die Wünsche des Weibes in ihren Zügen kämpfen. Man klatschte in die Hände über die feinsinnige Ausführung, die geistvollen Kleinigkeiten, die der Maler hier und da geschickt angebracht hatte, über seine wohlerwogenen Absichten, über die Ungezwungenheit, mit der die Braut die Finger auf die Hand des Bräutigams legt, über die Symbolik im Vordergrunde, wo man eine Henne mit ihren Jungen sieht und auf dem Rande der Schüssel das Kücken, das mit vorgerecktem Halse, den Schnabel in der Luft, seine Flügel probiert. Es waren zehn Tage des Triumphes; und das Bild war immer noch das Ereignis und Gespräch von Paris, der Kunstwelt und der Welt der Sammler, als es das Louvre verließ, um in die Sammlung Marignys zu wandern.

4

Der Erfolg dieses Bildes bestärkte Greuze in seiner Laufbahn, in seiner Neigung zur Darstellung bürgerlicher und volkstümlicher Sitten, an der die Neugierde wie das Interesse der großen Welt Geschmack fand, nachdem sie der mythologischen Liebesgeschichten, der koketten Nacktheiten, der „galanten Bildchen" müde war. Der Maler ging auf die Suche nach Stoffen,

112

Jean Baptiste Greuze   *Napoleon*

Ideen, Vorbildern, Anregungen in dem Paris, in dem Mercier seine Beobachtungen sammelte[1]), und gleich diesem Maler der Feder suchte er seine Skizzen und Notizen auf der Straße und in den Vororten, auf den Märkten, den Kais, mitten im Volk, im dichtesten Gewühl. Er streifte umher, schrieb, suchte die menschlichen Leidenschaften, heiß und roh wie sie das Leben bot, festzuhalten. Abends beobachtete er das nächtliche Treiben der großen Stadt in den kleinen Vorstadttheatern, den Kneipen, den Schaubuden, den Boulevardcafés, wo das Leben nie einschläft. Überall strich er umher, fand hier eine Gestalt, hatte dort einen Einfall; zuweilen traf ein Wort ihn wie eine Erleuchtung und zauberte ihm ein Bild vor Augen. Man höre ihn im „Journal de Paris" erzählen, wie er den Stoff zur *„Stiefmutter"* im Fluge erhascht, als er über den Pont-Neuf geht:

Am 13. April 1781.

„Gestatten Sie, meine Herren, daß ich Ihr Blatt benutze, um eine Notiz zur Geschichte des Kupferstichs zu veröffentlichen, der am 28. dieses Monats herauskommen soll, und den ich von Monsieur le Vasseur habe stechen lassen. Er heißt „Die Stiefmutter". Seit langem hätte ich diesen Charakter gern gezeichnet, aber in jeder Skizze erschien mir der Aus-

---

[1]) Der alte Mercier sagte bei einem Gelage im Gasthaus Labbaye zu Delort: „Greuze und ich sind zwei große Maler, wenigstens hat Greuze mich als solchen anerkannt. — Greuze, der mich sehr gern hatte, wollte mir seine Wohnung in der Louvregalerie, Rue des Orties, abtreten, weil sie keine Sonne hatte, und ich zum Schreiben keine Sonne brauche." (Delort: *Mes Voyages aux environs de Paris.* Paris 1821, Band II.)

113

druck der Stiefmutter unzulänglich. Da, als ich eines Tages über den Pont-Neuf ging, sah ich zwei Frauen heftig miteinander reden. Die eine weinte und rief: „Solch eine Stiefmutter! jawohl, sie gibt ihr Brot, aber sie schlägt ihr die Zähne damit ein." Das war für mich ein Lichtstrahl. Ich kehrte heim und zeichnete den Entwurf zu meinem Bilde, das fünf Figuren hat: die Stiefmutter, die Tochter der Verstorbenen, die Großmutter der Waise, die Tochter der Stiefmutter und ein dreijähriges Kind. Ich nehme an, daß es Essenszeit ist und das arme Mädchen sich mit den andern zu Tische setzen will; da nimmt die Stiefmutter ein Stück Brot vom Tisch, hält sie an der Schürze fest und schlägt ihr mit dem Brot ins Gesicht. Ich habe versucht, in diesem Augenblick den Ausdruck überlegten Hasses zu legen, der gewöhnlich aus tiefeingewurzeltem Hasse stammt. Das junge Mädchen sucht dem Schlage auszuweichen und scheint zu sagen: „Warum schlägst du mich? ich tue dir doch nichts zu Leide." Sittsamkeit und Furcht sprechen aus ihren Mienen. Ihre Großmutter sitzt am andern Ende des Tisches; von tiefstem Schmerz erfüllt, hebt sie die Augen und die zitternden Hände gen Himmel, als wollte sie sagen: „Ach meine Tochter, wo bist du? Dieser Schmerz, dieses bittere Weh!" Die Tochter der Stiefmutter, die das Los ihrer Schwester wenig rührt, lacht über die Verzweiflung der alten Frau; sie macht ihre Mutter mit spöttischer Gebärde darauf aufmerksam. Das Kind, dessen Herz noch unverdorben ist, streckt zärtlich die Arme nach der Schwester

114

aus, die für sein Wohl sorgt. Kurz, ich wollte eine Frau darstellen, die ein Kind mißhandelt, das nicht ihr eigen ist, und ein doppeltes Verbrechen begeht, da sie das Herz ihrer eigenen Tochter verdorben hat."

Mit Vorliebe beschreibt und erklärt Greuze im *Journal de Paris* die Einzelheiten seiner Kompositionen. So gibt der Maler zu dem Stich seines Gemäldes: *Die Witwe und ihr Seelsorger* noch eine lange Erklärung des behandelten Themas und all seiner Absichten, seines Strebens nach psychologischer Wahrheit in den Gesichtern und widmet diese Erklärung den Geistlichen Frankreichs.

BRIEF AN DIE
HOCHWÜRDIGEN HERREN GEISTLICHEN

„Hochwürdige Herren!

Demnächst erscheint ein Kupferstich unter dem Titel: „Die Witwe und ihr Seelsorger". Dieses Sujet gehört zu einer Reihe verschiedener Charakterbilder aus dem Leben, die ich schon behandelt habe. Es stellt einen Geistlichen dar, der einer Witwe und ihren Kindern helfen und ihnen gute Lehren geben will.

Der Schauplatz ist auf dem Lande in einem einfach eingerichteten Zimmer. Die Mutter, noch in den besten Jahren, ist im Morgenkleide, von ihren Kindern umringt; der Pfarrer ist eben gekommen; man hat ihm den Ehrenplatz angeboten, er setzt sich, neben ihm liegt ein großer Hund. Eben wendet er sich gütig und würdevoll an die älteste Tochter, die in ehrerbietiger Scheu die rechte Hand beteuernd auf die Brust legt,

8*   115

und sich treuherzig gegen die Vorwürfe, die er ihr macht, verteidigt. Die Mutter lächelt sanft und bescheiden und sieht den Pfarrer an, ihre beiden offenen Hände drücken ihre Verehrung und Dankbarkeit aus.

Der kleine Bursch, der, hinter der Schwester versteckt, sich auf ihren Stuhl stützt, zittert vor Angst, entdeckt zu werden, sein schalkhafter Blick verrät, daß er über seinen Rückzug nachdenkt. Die jüngere Schwester steht hinter der Mutter und stützt sich auf die Lehne ihres Stuhles, sie freut sich über die Bedrängnis, in der die Schwester sich befindet; diese Schadenfreude legt die Vermutung nahe, daß die ältere Schwester der jüngeren vorgezogen wird, was in jedem Alter feinfühlige Seelen verletzt und den ersten Grund zur Gefühllosigkeit legt in Herzen, welche die Natur zur Liebe schuf.

Der älteste Sohn, der Liebling der Mutter, sitzt auf einem kleinen Stuhl und schmiegt sich an sie; er hat keinen Grund, auf seine Schwester eifersüchtig zu sein, er liebt sie, und es ist ihm nicht gleichgültig, ob sie gescholten wird; die Blicke, die er dem Pfarrer zuwirft, sind nicht gerade gefügig und beweisen sowohl seine Liebe zur Schwester, als seinen Unmut über die Zurechtweisung, welche sie empfängt.

Ihnen, den Hütern von Religion und Sitten, den geistigen Vätern aller bürgerlichen Ordnung, danke ich die Idee zu diesem Bilde. Geruhen Sie, die Widmung anzunehmen, zugleich mit meiner unterwürfigsten Ehrerbietung.

Ich habe die Ehre usw. Greuze."

116

Leider lag es mehr in der Natur seiner Begabung, das Echte zu schätzen, als es zu wagen, sich an der Natur zu begeistern, als sie zu achten. Die Wahrheit war für ihn nur ein Ausgangspunkt. Er hielt sich für verpflichtet, den Stoff, den ihm der Zufall bot, zurechtzustutzen. Er lieh dem Herzen Verstand, der Leidenschaft Überlegung, der Anmut Eleganz. Er legte in die Naivität Manier, in das Erhabene Konvention. Seine flüchtigen Skizzen, seine Silhouetten von der Straße verloren die Echtheit der Bewegung und die Frische des Lebens, wenn sie vom Papier auf die Leinwand, von seinem Studienblatt in die Szenerie seines Bildes wanderten. Gedanken, Ausdruck, Linien, alles wurde gezwungen liebenswürdig unter dem Pinsel des Mannes, der das Kreuz in den Händen der büßenden Magdalena in einen zerbrochenen Pfeil verwandeln konnte. Wo wir auch sein Werk aufschlagen: wir sehen ihn das Elend ausschmücken, nachdem er die Schönheit ausgeschmückt hat. Wenn wir seine Kinder, die zerlumpten Kerlchen mit den zerrissenen Hosen, genau betrachten, sind das nicht Amoretten von Boucher, die, als Savoyarden verkleidet, durch den Schornstein herabgeklettert sind? Etwas wie die Hand des Regisseurs steckt in all seinen Kompositionen; die Leute spielen Theater und stellen lebende Bilder, jede Tätigkeit hat etwas Gemachtes, die Arbeit ist ein Scheinbild, die Wäscherinnen waschen nicht. Selbst die Wände, die Fußböden, die Zimmer, die Einrichtungen haben die absichtliche, aufgeputzte Ländlichkeit, wie die Bauernhütten jener Zeit im Park eines großen Herrn.

117

Macht eine Leinwand Greuzes nicht stets den Eindruck einer komischen Oper, die in einem besonders effektvollen Moment festgehalten ist?

Wie die *Dorfbraut* dem Genre des Malers die feste Richtung gab, so wurde sie auch entscheidend für seinen geistigen Beruf. Greuze wurde der Maler der Tugend. Er wurde der Jünger Diderots, seines Lehrers und Schmeichlers; er zeichnete, er komponierte nach den Regeln und der Poetik des Philosophen, er war bestrebt, das Programm durchzuführen, das dieser für sein Theater aufgestellt hatte, gleich ihm trachtete er danach, in den Herzen die „ehrbare" Saite zu rühren. In Farben und Linien wollte er heimlich und tief die Liebe zum Guten, den Haß gegen das Laster erwecken. Aus einer nachbildenden Kunst wollte er eine erzieherische Kunst machen, aus seiner Leinwand eine Schule, in der die Empfindsamkeit dramatisiert wurde, wie im *Familienvater* und im *Natürlichen Sohn*. Sein Streben ging nicht mehr dahin, die Hand, die Seele, das Genie des Malers zu zeigen, den Augen Fleisch, Licht, Leben vorzuführen, er legte seinem Talent Pflichten auf, gab Seelen in seine Obhut. Bis ins Herz des Publikums zu dringen, wie der Dichter, der Redner, der Romantiker; einen Erfolg der Empfindsamkeit zu erringen, wie der *Pfarrer von Coleraine* oder *Cleveland*, den Blicken ein Bild zu zeigen, das einen Gedanken auslöst, die bürgerliche Moral zu verkörpern, durch Pinselstriche zu guten Sitten anzuspornen und sie durch Bilder zu verbreiten, das war der Traum, der den Maler irre leitete, der nun in Frankreich die sehr

118

zu beklagende Schule der literarischen Malerei, der moralisierenden Kunst gründen sollte.

Die moralische Idee verfolgt den Maler durch sein ganzes Schaffen. Stets ist er bestrebt, sie anzudeuten, zu unterstreichen, nie findet er sie sichtbar, lesbar genug. Er kündigt sie im Titel seiner Sujets an, ja, damit sie ausdrucksvoller wird, setzt er sie oft sogar auf den Rand seiner Skizzen, erklärt und erläutert sie hier lang und breit. Wie viel „Moral" umgibt seine Allegorien! Mit den Wellen fließt auch der Gedanke um seine Glücks- oder Unglückskähne, die Unheil oder Gedeihen des Hauses darstellen. „*Der Zweck der Ehe: zwei Menschen verbinden sich, um den Klippen des Lebens auszuweichen. — Ich nehme an: das Leben ist ein Strom — — —*" Ich habe das mit eigenen Augen gelesen, flüchtig von seiner Hand unter ein Boot geschrieben, das mit Mann und Frau und Kindern auf den Wellen treibt. Hogarth, der in einer Reihe von Bildern das Leben des Wüstlings aufrollt, war ein Vorbild, das ihn reizte. Greuzes Traum war, Charaktere, Leidenschaften, Abenteuer in breiter Entwicklung zu schildern, die von Bild zu Bild die Moral eines Romans von Rétif de la Bretonne erzählen sollten. Er nährte den Gedanken, die Geschichte eines guten und eines schlechten Lebens in zwei Serien zu malen. Und wo finden wir den Kern des Menschen, die Seele des Malers? Seine Phantasie verrät ihn in dem Aufsatz über *Bazile und Thibaut oder die beiden Erziehungen*, dem Entwurf zu einem Roman in sechsundzwanzig Bildern, der mit dem Todesurteil schließt, das Bazile,

119

der es zum Strafrichter gebracht hat, über seinen einstigen Freund, den Mörder, Thibaut fällt[1]).

5

Greuze war seit zehn Jahren außerordentliches Mitglied der Akademie. Trotz allen Aufforderungen hatte er das Werk noch nicht eingereicht, das die „Außerordentlichen" gewöhnlich in den ersten sechs Monaten nach der Aufnahme einreichen und mit dem dann die Ernennung zum Akademiker entschieden ist. Greuzes wachsender Erfolg, die Achtung, welche die Akademie vor seinem Talent hatte, die Furcht, einen Meister, der es seinerseits nicht an Geringschätzung fehlen ließ, anscheinend zu verkennen und zu beneiden, all das bestimmte die Akademiker, von Greuze die schleunige Erfüllung der vorgeschriebenen Regeln zu fordern, damit er in der Akademie den Platz einnähme, den das Publikum ihm zuerkannte. Als Greuze sich noch immer nicht daran machte, die Forderung zu erfüllen, verboten sie ihm, 1767 im Salon auszustellen. Aber die Härte dieser Maßnahme wurde durch einen Brief Cochins gemildert und begründet, der seltsam verbindlich war und dem „Außerordentlichen" offiziell den dringenden Wunsch der Akademie, sich seiner Mitgliedschaft zu erfreuen, ausdrückte. Die Antwort

---

[1]) *Annuaire des Artistes*, 1861. Ph. de Chennevières: Ein Roman von Greuze. Es ist der Roman, von dem das Journal de l'Empire (11. Frimaire des Jahres XIV) sprach. „— — Greuze hatte den Plan, in einer Reihe von Bildern die verschiedenen Ereignisse darzustellen, die eine gute oder schlechte Erziehung in der Kindheit im späteren Leben veranlassen kann. Man muß in seinen Papieren den Plan dieses kleinen Romans gefunden haben, von dem er gern sprach, den er aber niemals ausgeführt hat."

120

Greuzes auf diesen Brief war, nach Diderots Bericht, ein Muster von Eitelkeit und Unbescheidenheit, „nur ein Meisterwerk konnte sie verzeihlich machen". Am 29. Juli 1769 verstand sich Greuze dazu, der Akademie ein Aufnahmebild zu überreichen. Er hatte als Gegenstand gewählt: „Septimius Severus wirft seinem Sohne Caracalla vor, ihm in den schottischen Engpässen nach dem Leben getrachtet zu haben" und sagt: „Wenn du meinen Tod wünschest, befiehl dem Papinian, mich zu töten."

Vor versammelter Akademie wurde das Bild, das auf einer Staffelei aufgestellt war, von den Akademikern geprüft, während Greuze in einem Wartezimmer ohne große Unruhe harrte. Nach Verlauf einer Stunde öffnen sich die beiden Flügeltüren des Ausstellungssaales. Greuze tritt ein.

„Mein Herr," sagt der Direktor, „Sie sind Mitglied der Akademie, treten Sie näher und leisten Sie den Eid." Nach beendigten Aufnahmefeierlichkeiten beginnt der Direktor von neuem: „Mein Herr, Sie sind zwar Mitglied der Akademie, jedoch als Genremaler[1]), und zwar hat man in Anbetracht Ihrer früheren glänzenden Leistungen die Augen bei diesem Bilde zugedrückt, das weder der Akademie noch Ihrer selbst

---

[1]) Die Akademie legte Gewicht darauf, daß Greuze nur als Genremaler aufgenommen war. Eine Mitteilung von Duviviers von der École des Beaux-Arts belehrt uns, daß die Worte „Genremaler" auf den Listen der Akademie am Rande des Protokolls vermerkt und als besondere Genehmigung des Vermerks vom Direktor Lemoine, den Rektoren Boucher und Dumont le Romain und dem Professor Allegrain unterzeichnet sind. Für gewöhnlich wurden die Vermerke einfach von Cochin mit einem Schnörkel gezeichnet.

121

würdig ist." Der Hieb saß, die Worte trafen Greuze ins Herz. Mit einem einzigen Wort nahm die Akademie seinem Streben alle Privilegien des Historienmalers, Ehrenämter und Lehramt. Greuze, der wie ein Kind stolz und schüchtern war, verlor in der ersten Bestürzung den Kopf, er wollte antworten, sich wehren, die Vorzüge seines Bildes verteidigen. Die Akademie hörte ihm lächelnd zu, und man sieht den Moment vor Augen, wie Lagrenée den Bleistift aus der Tasche zieht und auf der Leinwand die Fehler der Figuren anzeichnet.

Die Akademie hatte Greuzes Historienbild nur nach Verdienst bewertet. Selbst Diderot, der für den Maler seiner Moral eine so parteiische Nachsicht und so viel Mitleid hat, muß die Verteidigung seines akademischen Bildes aufgeben; er mag noch so viel suchen, auf der ganzen Leinwand findet er nichts Leidliches als die Köpfe des Papinian und des Senators. Gegen das Urteil der Akademie appellierte Greuze an das Urteil des Publikums, das ihn so verwöhnt, so eitel gemacht hatte, er wurde Zeitungsschreiber, er schrieb an den *Avant-Coureur*.

BRIEF GREUZES AN DEN HERAUSGEBER DES „AVANT-COUREUR".

„In der Fortsetzung Ihres Berichtes über die im Salon ausgestellten Bilder haben Sie in der letzten Nummer eine zwiefache Ungerechtigkeit gegen mich begangen, die Sie als Mann von Lebensart in der nächsten Nummer berichtigen müssen. Erstens, an-

122

statt mich wie die andern Maler, meine Kollegen, zu
behandeln, denen Sie mit einigen Worten das verdiente
Lob zollen, haben Sie über mein Historienbild eine
lange Abhandlung geschrieben, um das Publikum zu
belehren, wie Poussin — nach Ihrer Meinung — das
Thema behandelt hätte. Ich bezweifle nicht, daß er
ein prachtvolles Bild daraus gemacht hätte, doch
sicherlich in anderer Art, als Sie behaupten. Sie dürfen
ruhig überzeugt sein, daß Sie die Schöpfungen dieses
bedeutenden Mannes nicht eingehender studiert haben
können als ich, und daß ich vor allem seiner Kunst,
den Gestalten Ausdruck zu geben, nachgespürt habe.
Sie freilich haben Ihre Blicke weiter gerichtet, da Sie
beachteten, daß er die Mantelhaken auf die rechte
Seite setzt, während ich sie am Gewande des Caracalla
auf die linke Seite gemalt habe; ich gebe zu, daß dies
ein grober Fehler ist, aber ich ergebe mich nicht so
leicht in bezug auf den Charakter, den er, nach Ihrer
Ansicht, dem Kaiser gegeben hätte. Es ist allbekannt,
daß Severus jähzornig und gewalttätig war wie kaum
ein anderer Mensch, und Sie verlangen, daß, als er
seinem Sohne sagt: „wenn du meinen Tod wünschest,
so befiehl dem Papinian, daß er mich mit diesem
Schwerte töte!" er auf meinem Bilde, etwa wie Sa-
lomo im gleichen Falle, einen ruhigen, beherrschten
Ausdruck habe. Ich rufe jeden vernünftigen Menschen
zum Richter an, ob das der Ausdruck wäre, den ich den
Zügen des gefürchteten Herrschers hätte geben sollen?

Eine zweite, weit größere Ungerechtigkeit ist es,
daß, nachdem Sie mühsam herausgefunden haben, wie

123

Poussin das Thema behandelt hätte, Sie durchaus annehmen, ich hätte in der Gestalt hinter Papinian den Bruder des Caracalla, Geta schildern wollen. Erstens war Geta bei dem Auftritt gar nicht zugegen, wohl aber Castor, der Kämmerer und, nach Moreri, der treueste Diener des Severus. Zweitens, angenommen, ich hätte Geta darstellen wollen, so hätten Sie mir vorwerfen müssen, daß ich ihn zu alt aufgefaßt hätte, da er jünger als Caracalla war. Drittens hätte ich dann noch den Fehler begangen, ihn nicht in Rüstung zu malen. Sie sehen, mein Herr, wie viel Ungereimtheiten Sie mir zur Last legen, um nach Gefallen Kritik zu üben. Sie denken sicher gerecht genug, um mir nicht die Genugtuung zu versagen, daß Sie mein Schreiben in ihrer Montagsnummer veröffentlichen. Es muß mir freistehen, zu erklären, wie ich mein Bild aufgefaßt habe, und die Deutung zu berichtigen, die Sie ihm gegeben haben, ohne mich, ohne die Geschichte zu fragen.

Wollen Sie einem Künstler den Mut rauben, der, wie ich, alles daran setzt, das Wohlwollen, mit dem das Publikum ihn bisher geehrt hat, zu verdienen? Warum greifen Sie meinen ersten Versuch in einem neuen Genre, das ich doch mit der Zeit sicherer zu beherrschen hoffe, so heftig an? Warum vergleichen Sie mich, einzig mich unter meinen Kollegen, mit dem größten Maler unserer Schule? Wenn das eine Schmeichelei für mich sein sollte, so war sie nicht glücklich gewählt, denn ich habe in dem ganzen Artikel nur die ausgesprochene Absicht, mich herabzusetzen, gesehen. Nicht eher glaube ich, daß Ihnen eine solche Absicht, die

124

jedes unparteiischen Schriftstellers unwürdig wäre, ferngelegen hat, als bis Sie freundlichst meinen Brief in Ihrem Blatte abdrucken.

Ich bin usw.‟

Das Publikum blieb kalt, und eine kleine Flugschrift gab dieser Erkältung und Enttäuschung Ausdruck, indem sie Greuze für „echt im Einfachen, prachtvoll im Naiven, aber unfähig im Heroischen‟ erklärte. Warum, sagte der Kritiker zu Greuze, statt des von Diderot vorgeschlagenen Themas „der Tod des Brutus‟, ein unbekanntes Ereignis ausgraben, eine rätselhafte, verwickelte Geschichte, die die Kunst nicht wiedergeben kann? Nach einer Zergliederung der Mängel in Komposition, Farbe und Zeichnung, die das Bild verunstalteten, fragte er, ob Teniers etwa weniger Teniers wäre, weil er keinen Hof des Augustus gemalt hätte, und ob Préville etwa nicht einer der ersten Künstler der Comédie-Française wäre, weil er den Mithridates nicht spielte? *In pelle propria quiesce* lautete der letzte Satz dieser Kritik, die das Urteil und die Meinung der Öffentlichkeit zusammenfaßte.

Hatte dieser Mißerfolg Greuzes, dieses Scheitern an der Größe, dem Adel, dem erhabenen Ernst der Geschichte andere Ursachen als das Temperament des Malers, die mangelhafte Erziehung eines liebenswürdigen, aber begrenzten Talentes, die sträfliche Eitelkeit eines Zeichners, dem die Größe fehlte? Sein Anwalt und Beichtiger Diderot vertritt die Ansicht, daß die Höhen der Kunst, die großen Werke Greuze

125

versagt blieben, nicht weil sie seinem Können unerreichbar waren, sondern weil sein Leben lang eine Qual, ein Mißgeschick, die tägliche häusliche Misere auf ihm lastete und die Schaffenskraft des Künstlers den Sorgen des Mannes, dem Kummer des Gatten erlag. Seine Häuslichkeit band Greuze die Hände und drückte ihn nieder. Die Frau, der er den Platz in seinem Hause gegeben hatte, die reizende Gabrielle Babuty, erstickte etwas in der Seele des Künstlers, als sie die Gier nach dem Gelde in ihm weckte. Mit Ansprüchen, Streitereien, Heftigkeiten, törichten Quälereien und albernen Bosheiten nahm sie seiner Phantasie den Frieden, die Spannkraft, das freudige Streben, die geistige Freiheit und Stille, in der schöne, kraftvolle Werke keimen und reifen. Diderot schildert sie, wie sie den Maler mit ihrem Gezänk zermürbt, ihn mit ihrer Kleinlichkeit herabstimmt, seine seelischen Kräfte abstumpft, sein Tagewerk und sein Schaffen aus dem Geleise bringt, seine Entwürfe, Kompositionen, Skizzen Tag und Nacht mit ihrer Unruhe stört, ihm sein Atelier zur Hölle macht und ihm das Arbeiten mit ihren ewig wechselnden Launen vergällt. Ihr Werk und ihre Schuld ist das Akademiebild ihres Mannes. Sie ist die Ursache, daß das begonnene Werk sich durch acht lange Monate hinschleppte, sie hat die unglücklichen Änderungen angeregt und befohlen, die den prachtvollen Entwurf verdarben. Wenn Diderot auch vielleicht übertreibt, wenn er sich einer Täuschung hingibt in der Meinung, eine Frau könne Licht und Dunkel für die Begeisterung eines Malers sein, der gute

126

oder böse Genius seiner Palette, so ist seine Aussage doch nicht weniger wertvoll. Wenn sie für die Kritik nichts besagt, so verrät sie der Biographie das Geheimnis seiner Sorgen und enthüllt die Wunde seines Lebens.

Wenden wir uns wieder zu der Ehe des Malers, zu dieser Frau, die er anfangs vergöttert, die sein Entzücken, seine Leidenschaft ist. In der Schilderung Diderots steht sie lebensvoll, plaudernd und lachend vor uns, wie in einem Bilde, auf das die Sonne scheint: „Sie gefiel mir sehr, als ich noch jung war und sie Fräulein Babuty hieß. Sie hatte einen kleinen Buchladen am Kai des Augustins; wie ein Püppchen war sie, weiß und schlank wie eine Lilie, und rot wie eine Rose. Ich kam in meiner raschen, lebhaften, ausgelassenen Art herein und sagte: „Fräulein, bitte die Erzählungen von Lafontaine und einen Petronius.“ „Bitte sehr, mein Herr. Haben Sie nicht Bedarf an andern Büchern?“ „Verzeihung, Fräulein, aber —‘ „Bitte, sagen Sie, womit kann ich dienen?“ „Geben Sie mir *Die Nonne im Hemd*.“ — — „O pfui, mein Herr, solche Gemeinheiten hat man doch nicht, das liest man doch nicht!“ — „O, Verzeihung, mein Fräulein, ich habe nichts davon gewußt, daß das Buch unanständig ist . . . .“ Und als ich ein andermal vorbeiging, lächelte sie und ich auch.“

Greuze kam ein paar Tage nach seiner Rückkehr aus Rom an diesem Laden vorbei. Wie Diderot trat er ein, wie Diderot kam er wieder; und als er häufiger kam, verheiratete er sich eines schönen Tages, oder

127

richtiger, er war verheiratet, ohne sich sonderlich darum bemüht zu haben. Er fand sich schnell darein, glücklich zu sein. Seine Frau war reizend. Sie hatte den hübschen Kopf, den der Pinsel ihres Mannes nie mehr vergißt und den seine Kunst für immer liebt: ein Kindergesicht, eine runde, glatte Stirn, gewölbte Augenbrauen, die dem Gesicht einen naiven Ausdruck gaben, lange Wimpern, die dem gesenkten Blick etwas Dunkles, Zärtliches verliehen, ein feines, gerades, lustiges Näschen wie ein junges Mädchen, einen feuchten, schön geschnittenen, koketten Mund, ein längliches Gesicht voll noch jugendlicher Fülle, weiches, warmes Fleisch, reizende Formen und einen leisen Zug von Empfindsamkeit, über dem man schnell vergaß, daß das Gesicht eigentlich etwas Einfältiges hatte — alles dies machte die Schönheit der Frau Greuze aus, deren Züge, deren typischen Reiz, deren gewissermaßen offizielle Darstellung man in dem kleinen Kupferstich von Massard findet.

Doch die Frau selbst kennzeichnet ein anderes Bild besser; die Ähnlichkeit ist hier intimer, das Persönliche kommt mehr zum Ausdruck und ist viel beredter in dem Gemälde, auf dem Frau Greuze in ihrem Heim als *Die schlummernde Philosophie* gemalt ist. Hier ist die Sinnlichkeit aller Fesseln frei und kommt hinter der Jugend zum Vorschein: Frau Greuze im Schlafe überrascht und von einem Lächeln im Traum verraten! In einem Sessel ruht sie hingegossen und hat den Kopf zur Seite an das Kissen der Lehne gedrückt. Ein zierliches, leichtes Morgenhäubchen um-

128

Jean Baptiste Greuze   Bildnis eines jungen Mannes

gibt ihr aufgewickeltes Haar mit lichten, duftigen Falten. Unter der offenen Jacke, die die Brust bedeckt und dem Busen Halt gibt, kommt ein Halstuch hervor. Der eine Arm ruht lässig über einem offenen Buch auf dem Tische, der andere ist bis ans Knie herabgeglitten, wo ein Mops liegt mit gestutzten Ohren und faltigem Maul, und mit zornigen Augen Wache hält. Dicht vor ihn, neben ihre Pantoffel mit den hohen Stöckeln, hat sie Stickrahmen und Garnrolle hinfallen lassen. Sie schläft mit dem ganzen Körper. Der Schlaf hält sie gefangen und löst ihr die Glieder unter dem Hauskleid mit den zierlichen Rüschen und Spitzen, das sich in allen Linien und Falten dem weichen, hingesunkenen Körper der Schläferin anschmiegt. Die Stoffe scheinen ganz schlaff, das Gewand ist halb offen, die Haltung willenlos, die Augenlider sind geschlossen, der Mund scheint eine Liebkosung zu spüren, der Atem fliegt — — Und ist es nicht, als ob ein Traum voller Wonne diese Frau auf die Augen küßte?

Greuze malt später seine Frau noch unverhüllter in der *Vielgeliebten Mutter,* wie sie den Kopf aus einem Kreise von Kindergesichtern hebt, die sie mit Küssen ersticken, und wobei sie einen Ausdruck und ein Lachen trägt, das Diderots Feder veranlaßt, den Maler und Gatten zur Zurückhaltung zu mahnen.

Man muß zu Greuzes Entschuldigung sagen, daß er in dieser Auffassung seine Frau gewissermaßen in Amt und Würden malte. Frau Greuze war seelisch wie körperlich „die Sinnliche", die er in seinen Bildern wiedergibt. Nicht acht Jahre waren seit ihrer Ver-

bindung vergangen, und sie hatte Greuze alle Bitter-
keiten ehelicher Untreue durchkosten lassen, hatte den
Ehebruch bis zu solcher Frechheit, den Zynismus zu
solcher Schamlosigkeit getrieben, daß es sich nicht
schildern läßt, höchstens durch die herzzerreißenden Erinnerungen des unglücklichen Mannes, die wir hier wiedergeben möchten als den treffendsten Beleg für die jam-
mervollen Künstlerchen im achtzehnten Jahrhundert.

Wir schicken diesen Erinnerungen eine Aussage
des Malers über die schlechte Aufführung seiner Frau
voraus, die er im Jahre 1785 dem Kommissar Chenu
machte und die neuerdings im *Bulletin de l'Art français*
von 1877 veröffentlicht wurde.

„Im Jahre 1785, Sonntag den 11. Dezember mittags,
erscheint in meiner Wohnung und vor uns, Gilles-
Pierre Chenu usw., Herr Jean-Baptiste Greuze, Maler
an der Königlichen Akademie, wohnhaft Rue-Basse-
Porte-Saint-Denis, Gemeinde Bonne-Nouvelle, und gibt
an, daß er, mit Arbeit überbürdet, schon seit einiger
Zeit einer Zerrüttung seiner häuslichen Verhältnisse
keine Beachtung habe schenken können, die ihn zugrunde gerichtet haben würde, wenn er nicht der Sache
nachgeforscht hätte. Obwohl ihm dadurch Verdrießlichkeiten ohne Ende und furchtbare Auftritte mit
seiner Frau erwachsen seien, habe er trotz unzähliger
Verpflichtungen die Leitung des Hauses selbst in die
Hand genommen, um seine Interessen besser überwachen zu können.

Als er vor ungefähr einem Monat erfuhr, daß ziemlich oft allerhand Leute in sein Haus kommen, hat er

130

es unternommen, „ein wachsames Auge auf den Feind"
(sic) zu haben, und als er eines Tages entdeckte, daß zu
der Ehefrau Greuze ein Individuum kam, mit dem sie
sich einschloß, ist er an die Tür gegangen, die von ihr
selbst geöffnet wurde. Er hat in ihrem Zimmer einen
grau gekleideten Mann gefunden, mit blassem Gesicht
und einer Stülpnase, der ziemlich gewöhnlich aussah
und auf die Frage, was er wünsche, ihm erwiderte,
daß er mit Frau Greuze zu sprechen habe, worauf der
Komparent sich zurückgezogen hat.

Am gestrigen Tage nun, gegen fünf Uhr abends,
als der Komparent eben ausgehen wollte, sah er, daß
Frau Greuze ein Individuum bei sich empfing, und
ehe die Tür geschlossen war, ist der Komparent ein-
getreten. Er hat einen ihm unbekannten Mann gesehen, ungefähr 5 Fuß 4 Zoll groß, mager, mit einer
Adlernase, schmalen Lippen, kleinen Augen, gelber
Gesichtsfarbe, und hat ihn gefragt, was er wünsche.
Darauf hat dieser mit unverschämtem Gesicht geantwortet: Ich will die gnädige Frau besuchen. Der Komparent hat ihm auf diese Antwort erwidert: Herr,
meine Frau empfängt nur Leute, die ich kenne. Da ich
nicht die Ehre habe, Sie zu kennen, und nicht weiß,
wer Sie sind, ersuche ich Sie, sich ferner nicht zu bemühen. — Darauf ist das erwähnte Individuum auf-
gefahren, hat dem Komparenten mit der Faust gedroht
und ihm versichert, daß er auch gegen seinen Willen
kommen würde, sobald es ihm passe. Erstarrt über
diese Frechheit, hat der Komparent gleichwohl versucht, seinen gerechten Zorn zu bändigen und wollte

9*   131

ihm eben Vorhaltungen wegen seiner Drohung machen, als die Ehefrau Greuze die Partei des erwähnten Individuums ergriff, das, hierdurch in seiner Frechheit bestärkt, von neuem gedroht hat, auch gegen seinen Willen in sein Haus zu kommen, und zwar so oft es ihm beliebe und der gnädigen Frau angenehm sei, worauf sie zugestimmt hat. Der Komparent, der die Folgen dieser Frechheit fürchtete und besorgte, sich nicht länger beherrschen zu können, hat vorsichtshalber den Rückzug angetreten und ist in sein Zimmer gegangen. Das erwähnte Individuum hat er bei der Ehefrau Greuze gelassen, wo es noch eine halbe Stunde nach dem Fortgang des Komparenten geblieben ist. Seine beiden Töchter und die Dienstboten haben diesen Auftritt hören können, von dem der Komparent mit gutem Grunde schlimme Folgen für die Sicherheit seiner Person befürchtet, weshalb es ihm von großem Werte ist, zu erfahren, wer dieses Individuum ist, was es in seinem Hause will und warum die Ehefrau Greuze gegen den Komparenten seine Partei ergriffen hat.

Der Komparent würde vielleicht noch die Augen zudrücken bei den Besuchen, die seine Frau von ihm unbekannten Leuten bekommt, hätte er nicht anderweitig Klage über sie zu führen, und hielte er es nicht für sich und sein Vermögen wichtig, genauer als bisher darauf zu achten, was bei ihm vorgeht und wer in sein Haus kommt. Was er aber bis heute erlebt und inwieweit sein Vermögen gelitten hat, behält er sich vor, später weitläufiger anzugeben; heute kommt es ihm nur darauf an, zu verhindern, daß Leute zu ihm

132

kommen, die er nicht kennt und nicht in seinem Hause
haben will. Und in anbetracht der von der Ehefrau
Greuze unterstützten Drohungen des erwähnten Individuums, auch gegen seinen Willen in sein Haus zu
kommen, so oft es ihm gefiele, was er nicht dulden kann
und will, reicht er die vorliegende Klage ein.

Gezeichnet: Greuze, Chenu."

(Aktenzeichen 882. Kommissar Chenu.)

Nun folgt hier die Denkschrift:

„Bürger, ich will Euch wider Willen Dinge enthüllen, über die ich einen Trauerschleier gebreitet hatte;
Ihr sollt sehen, daß man Schmach auf Schmach ge-
häuft hat, daß meine Ehre, mein Leben zerstört, mein
und meiner Kinder Vermögen von einer unnatürlichen
Mutter verpraßt worden ist.

Wenige Tage nach meiner Rückkehr aus Rom führte
mich ein Verhängnis in die Straße Saint-Jacques, ich
sah Fräulein Babuty in ihrem Laden; sie war die Tochter eines Buchhändlers; ich wurde von Bewunderung
ergriffen, denn sie war sehr hübsch. Ich verlangte
Bücher, um sie mit Muße betrachten zu können: ihr
Gesicht war ziemlich ausdruckslos und hatte einen
blöden Zug. Ich sagte ihr Schmeicheleien die Fülle.
Sie kannte mich; mein Name wurde bereits genannt,
ich war in die Akademie aufgenommen. Sie zählte
bereits einige dreißig Jahre und war also in Gefahr,
ihr Leben als alte Jungfer zu beschließen. Sie wendete
jede denkbare Liebenswürdigkeit an, um mich zum
Wiederkommen zu veranlassen: ich solle doch keine
Ausreden suchen, ich sei stets gern gesehen. Ich

133

setzte meine Besuche ungefähr einen Monat fort.
Eines Nachmittags fand ich sie lebhafter als gewöhnlich, sie hielt meine Hand fest, sah mich leidenschaftlich
an und sagte: „Herr Greuze, würden Sie mich heiraten, wenn ich ja sagte?" Ich muß gestehen, daß ich
über eine solche Frage verblüfft war; ich antwortete:
„Mein Fräulein, müßte man sich nicht glücklich
schätzen, mit einer so liebenswürdigen Frau durchs
Leben zu gehen?" Ich meine, daß diese Antwort
recht nichtssagend war; das hinderte sie aber nicht,
am andern Morgen kurz entschlossen mit ihrer Mutter
nach dem Quai des Orfèvres zu gehen; sie ließ bei Herrn
Straß Ohrringe aus falschen Diamanten machen und
hatte am nächsten Tage nichts Eiligeres zu tun, als sie
einzuhängen. Da sie in einem Laden war, versäumten
die Nachbarinnen nicht, sie zu bewundern und sie nach
dem Geber zu fragen; und mit leiser Stimme und gesenkten Augen sagte sie: „Herr Greuze hat sie mir
geschenkt." — „Sie sind also verheiratet?" — „O nein!"
(wie man verblümt „ja" antwortet). Meine Freunde
gratulierten mir unverzüglich; ich versicherte ihnen,
daß kein wahres Wort daran sei und daß ich gar kein
Geld hätte, mich zu verheiraten. Außer mir über diese
Frechheit, ging ich nicht mehr hin. Ich wohnte damals im Faubourg Saint-Germain, Rue du petit Lion
in einem Mietshause, das Hôtel des Vignes hieß. Drei
Tage waren vergangen, ohne daß ich ein Wort von ihr
gehört hatte, ich hatte sie schon fast vergessen, als sie
eines schönen Morgens an meine Tür klopft, nur von
einem kleinen Dienstmädchen begleitet. Ich ant-

134

wortete nicht; sie wußte, daß ich zu Hause war und klopfte mit Händen und Füßen wie eine Wahnsinnige. Da ich einsah, daß sie so ihrem Rufe schaden könne, öffnete ich meine Tür. In Tränen aufgelöst, stürzt sie in mein Zimmer und ruft: „Ich tat unrecht, Herr Greuze, aber die Liebe hat mich dazu verleitet, die Zuneigung für Sie hat mich auf diesen Gedanken gebracht, mein Leben ist in Ihren Händen." Dann stürzt sie mir zu Füßen, erklärt, sie stehe nicht auf, bis ich ihr nicht versprochen hätte, sie zu heiraten, hält meine Hände fest und badet sie mit Tränen. Sie tat mir schließlich leid, und ich versprach ihr alles, was sie wollte.

Trotzdem wurden wir erst zwei Jahre später in der Pfarrkirche Saint-Médard (zu der sie nicht gehörte) getraut; sie hatte Angst vor etwaigen Spöttereien, da sie doch gesagt hatte, sie sei verheiratet. Ich hatte am Tage nach meiner Hochzeit 36 Livres in der Tasche und gründete damit einen Haushalt.

Die ersten sieben Jahre unserer Ehe verflossen ohne besondere Ereignisse; wir hatten drei Kinder gehabt. Zwei blieben uns, die behütet, in der Religion unterrichtet, und wenigstens am Sonntag einmal in die Messe geführt sein wollten; da sie aber keine Spur von Religion besitzt und in den 27 Jahren unseres Zusammenlebens nicht einmal die Messe besucht hat, war diese Aufgabe zu schwer für sie, sie hat sie ins Kloster gesteckt, wo die eine elf, die andere zwölf Jahre geblieben ist. Dort hat sie sich nicht um sie gekümmert oder sie doch nur selten besucht. Meine älteste Tochter sagte, als

135

ich sie einmal besuchte: „Mama hat uns seit einem Jahr und sieben Tagen nicht besucht." Sie war darüber ganz traurig.

Ich hatte Herrn Flipart meinen „*Gichtbrüchigen*" zum Stechen gegeben, den er im Laufe des Jahres herausbringen sollte. Meine Frau glaubte, daß nun der Reichtum winke und sagte: „Mein Lieber, ich brauche einen Diener." Ich antwortete ihr: „Du weißt, daß wir kein festes Einkommen haben und so etwas nicht bezahlen können, wenigstens nicht jetzt; wenn Du aber bis nach Ostern warten willst, werde ich versuchen, Deinen Wunsch zu erfüllen." Statt jeder Antwort gab sie mir aus Leibeskräften eine Ohrfeige; ich muß gestehen, daß mich der Zorn hinriß und ich sie ihr wiedergab.

Kommen wir zu meinem Kupferstichhandel zurück, der den Stamm meiner Werke ausmacht; ich habe sie von vier verschiedenen Kupferstechern ausführen lassen: von Massard, Gaillard, Levasseur und Flipart, die meine Teilhaber waren.

Frau Greuze hatte ihre Kinder entfernt, die ihre Richter werden konnten; nun mußte sie eine Erkältung hervorrufen zwischen meinen Teilhabern und mir, was sie sehr geschickt anfing. Von diesem Zeitpunkt an hatte ich mit den geschäftlichen Angelegenheiten nichts mehr zu tun, alles geschah ohne mein Vorwissen; zudem war ich sehr leichtsinnig mit meinen Angelegenheiten; die Liebe zu meiner Kunst hat mich die Interessen und das Vermögen meiner Kinder vergessen lassen. Zuweilen nahm ich mir heraus zu sagen: „Deine

136

Rechnungen scheinen mir nicht zu stimmen." Sie erwiderte: „Davon verstehst Du nichts, glaub nur, ich verwalte Deine Angelegenheiten besser als Du selbst." Ich ging wieder in mein Atelier und vergaß, den Pinsel in der Hand, die ganze Welt; ein neuer Entwurf, die Freude, ihn zu skizzieren, verhinderte, daß ich den Abgrund zu meinen Füßen sah. Mit dem gleichen Geschick berechnete sie, daß ich doch einmal von ihr Belege fordern und, da sie bereits beträchtliche Summen aus meinem Geschäft vergeudet hatte, sie zur Rechenschaft ziehen könne, darum sagte sie mir: „Ich habe viel Unglück! ohne Dein Wissen habe ich dreißig oder sechsunddreißigtausend Livres in ein Schiff gesteckt, weil ich glaubte, viel dabei zu verdienen; jetzt haben es die Engländer gekapert, als es aus dem Hafen ging." Aber ich sagte ihr: „Wie konntest Du so etwas tun, ohne es versichern zu lassen, und wie hieß der Kapitän?" Sie hat mir nie den Namen zu nennen gewußt. Als die Zeit unserer Trennung herankam und sie Rechnung ablegen und unsere Verhältnisse ordnen sollte, ging sie sehr selbstherrlich zu Werke und zerriß alle Bücher; kurz, ich konnte nie erfahren, welche Summen sie erhalten hatte.

Die Verrechnungen mit meinen Teilhabern seien sehr genau gewesen und alles sei in Ordnung, wie es sich gehöre. „Aber warum hast du die Bücher zerrissen?" — „Weil es mir so beliebt hat und ich dir keine Rechenschaft schuldig bin." Der Bilderhandel hatte dreihunderttausend Livres eingebracht und davon haben hundertzwanzigtausend im Hause gefehlt, ohne die

137

Stiche, die ich ihr als Nebenverdienst gab für die Mühe, die sie mit dem Bilderhandel hatte; sie sollte nur fünfzig Abzüge für sich und unsern Teilhaber machen lassen; statt dessen ließ sie fünfhundert machen, die sie für sich zu drei oder vier Louisdor verkaufte. Während wir zusammen lebten, hat sie neun Platten zum eigenen Nutzen verwendet."

(Ende des Abschnittes über den Bilderhandel.)

HÄUSLICHE EREIGNISSE
vom siebenten Jahre seiner Ehe an.

„Herr Dazincourt (Blondel d'Azincourt) gab den ersten Anlaß zu der Zwietracht in meinem Hause. Er kam zuerst als Kunstfreund zu uns; doch bald belegte Frau Greuze ihn mit Beschlag und liebte ihn leidenschaftlich, was sie mir eines Tages kalten Blutes anvertraute, mit dem Zusatz, es seien aber zarte und reine Beziehungen. Er trug große Schuld an den Mißhelligkeiten, die ich in der Akademie erfuhr, weil er mit allen Künstlern in Verbindung stand; ich habe Frau Greuze stark im Verdacht, daß sie all diese Mißhelligkeiten mit ihm angezettelt hat. Sie ist ja nicht mehr meine Frau, sie ist eine Feindin, mit der ich leben muß, die ich auf all meinen Wegen finden werde.

Als die Herrschaft Dazincourts zu Ende ging, fand Frau Greuze Geschmack an einem Schüler, den ich im Hause hatte. Eines Tages, als ich gegen neun Uhr nach Hause kam, fand ich Frau Greuze mit sehr verlegenem Gesicht, meinen Schüler aber, der nicht wußte, was er beginnen sollte, am Kamin stehend;

138

ich hielt es für das Richtigste, den jungen Menschen fortzuschicken, was ich auch tat. Jetzt war die Verzweiflung im Hause; Frau Greuze lief stets mit einem Dolche herum und wollte sich töten, was sie aber unterließ, und ich blieb unerbittlich. Bald wechselte sie ihre Neigung. Ein Frucht- und Gemüsekrämer hatte mir Brennholz geliefert, als ich in der Rue des Vieux-Augustins bei einem Glaser ein möbliertes Zimmer bewohnte; er suchte mich auf und sagte mir, daß sein Sohn Anlagen zur Malerei habe, daß ich ihm einen großen Gefallen täte, wenn ich ihm Anleitung geben wolle. Er zählte sechzehn bis siebzehn Jahre und Frau Greuze fast fünfzig. Der junge Mann gefiel ihr, sie nahm ihn in ihren Schutz, sie vertraute ihm eine Menge Sachen an, die einen Wert bis zum Betrage von fünfzehntausend Livres hatten. Der junge Mann war liederlich geworden; ich glaube, daß Frau Greuze Anlaß hatte, über ihn zu klagen, weil sie ihn festnehmen ließ mit der Beschuldigung, er habe ihr die genannte Summe gestohlen; er wurde zu Herrn Muron, dem Polizeioffizier, geführt, und der Vater wurde benachrichtigt, er müsse seinen Sohn wiederholen. Der brave Mann, trostlos, seinen Sohn des Diebstahls verdächtigt zu sehen, konnte sich nicht enthalten zu sagen: „Gnädige Frau, mein Sohn ist ein Kind und Sie sind eine verständige Frau, warum haben Sie ihm eine so große Summe anvertraut? Aber ich bin ein ehrlicher Mann und will nicht, daß Sie alles verlieren, ich verschreibe Ihnen zweitausend Livres auf mein Haus in der Rue des Vieux-Augustins; nach meinem Tode können Sie sie

139

erheben." Die Urkunde wurde bei dem Notar Prevot in der Rue Croix-des-Petits-Champs ausgefertigt, der ihr nach dem Tode jenes ehrlichen Mannes das Geld ausgezahlt hat, das zum Teil zum Ankauf eines Wagens verwendet wurde. Die Nöte von Frau Greuze wurden immer größer, sie mußte bei Frau von Veluose Heilung suchen, die einen vorzüglichen Trank gegen venerische Krankheiten hatte, der aber nicht half; so suchte sie Heilung bei Herrn Louis, der Wundarzt und Sekretär der chirurgischen Hochschule war, und sie wieder herstellte. Wenn Frau von Veluose nicht tot ist, kann sie meine Worte bestätigen, denn sie wollte sie nicht bezahlen.

Bald darauf lernte sie Herrn von Saint-Maurice, einen Parlamentsrat, kennen, der jetzt ausgewandert ist. Sein verstecktes Wesen, seine tückische, kriechende Art hatten mir soviel Respekt eingeflößt, daß ich es sehen mußte, um es zu glauben. Er war so bis in den Grund verdorben, daß es ihm auf eine Gemeinheit nicht ankam. Als ich einmal nach Hause kam, fand ich sie im Gesellschaftszimmer hinter einer spanischen Wand in einer absolut unzweideutigen Situation. Ich ging hinaus und machte ihr am andern Tage Vorwürfe; sie erwiderte mir: „Natürlich ist es wahr, aber ich pfeife drauf." Es traf mich nicht mehr, ich kannte ihr Leben zu gut; auf einen Frevel mehr oder weniger kam es nicht an; ich lebte schon seit Jahren nicht mit ihr. Auf seinen Rat zehrte sie mein Vermögen auf, er besitzt sicher die Unsummen, welche Frau Greuze in meinem Hause unterschlagen hat. In Kontrakten,

140

welche für seine eigene Person abgeschlossen waren und nach denen er ihr eine Rente zahlte, hatte er ihr Schuldscheine gegeben über die Summen, die er für sie inVerwahrung hatte; andere Summen müssen für seinen Sohn als Leibrenten eingetragen sein, zu denen Frau Greuze ein Drittel beigesteuert hatte, um den Genuß des Ganzen für Lebenszeit zu haben und die nach ihrem Tode an seinen Sohn zurückfielen. Sie hat all diese Vorsichtsmaßregeln getroffen, damit ich nie erfahren sollte, welche Summen sie mir gestohlen hat."

EIN ANDERES GESCHICHTCHEN.

„Ein Freund von mir, der mich besuchen wollte, fand hinter der unseligen spanischen Wand nochmals denselben Menschen. Als wir im Begriff waren, uns zu trennen, zog sie ihn zu Rate, und da sie sich sehr unangebrachtermaßen eine anständige Frau nannte, sagte er nur: „O! gnädige Frau, Sie haben die spanische Wand vergessen!"

Wir zogen von der Rue Thibotodé nach der Rue Notre Dame des Victoires. Sie sank immer tiefer. Jetzt hatte sie bereits ihr eigenes Vermögen, überließ das Haus den Dienstboten und vernachlässigte sogar ihre Küche, sodaß die Kochtöpfe wahrscheinlich voller Grünspan waren; ich mutmaße das, denn man machte mir am Heiligen Abend eine Bouillon heiß, nach deren Genuß ich todkrank wurde; vierzehn Stunden lag ich in Krämpfen und keine Hilfe kam; vergeblich wurde nach Wundärzten und Doktoren geschickt, niemand wollte kommen, bis morgens um sieben Uhr Herr Le

141

Doux zufällig zu mir kam und mir Theriak verordnete; seitdem sind fast zwölf Jahre verflossen, und noch immer habe ich von damals Schmerzen in der Brust.

Wir schliefen immer im selben Zimmer; als ich aus dem Schlaf auffuhr, sah ich beim Schein einer Nachtlampe Frau Greuze, die mir mit dem Nachttopf den Schädel zertrümmern wollte, ich machte ihr darauf, wie man sich denken kann, heftige Vorwürfe; sie antwortete mir: „Wenn du noch lange redest, rufe ich aus dem Fenster nach der Wache und sage, daß du mich umbringen willst."

Ich verließ die Rue Notre Dame-des-Victoires und zog nach der Rue Basse (porte Saint-Denis), wo ich noch jetzt wohne. Sie bewohnte ihr Zimmer, ich das meine. Von da an waren wir völlig geschieden.

Von mehreren Seiten wurde mir gesagt, daß zu Frau Greuze häufig verrufene Menschen kämen, und da ich zwei Töchter hatte, konnte ich dieses Leben unmöglich dulden. Ich faßte einen Entschluß, blieb den Tag über zu Hause und sah gegen sieben Uhr abends einen jungen Mann von ungefähr dreißig Jahren zu meiner Frau gehen, der früher Friseur war, jetzt aber einen kleinen Posten versah, den ihm irgend jemand verschafft hatte. Ich ging unverzüglich hinein und fragte, was er wolle, da ich nicht die Ehre hätte, ihn zu kennen; er antwortete ganz ohne Umstände: „Ich will Frau Greuze besuchen"; darauf ich: „Meine Frau empfängt nur Leute, die ich ihr vorstelle, und Sie kenne ich nicht"; er aber: „Das ist mir gleich, und ich werde jedesmal kommen, wenn die gnädige Frau es

142

fordert." Ich sah, daß man mir eine Falle stellte, damit
ich ein öffentliches Ärgernis geben sollte, und zog mich
wortlos zurück, mit dem Vorsatz, die Behörde anzu-
gehen; ich reichte meine Beschwerde bei Herrn Chenu,
dem Polizeikommissar, in der Rue Mazarine ein.

Unsere Trennung war nun beschlossen. Wir einigten
uns über eine Vermögenstrennung zu gleichen Teilen,
obwohl wir drei gegen eine waren; ich gab ihr alles
nötige Hausgerät, worüber ich eine vom Notar beglaubigte Urkunde besitze, und dreizehnhundertfünfzig
Livres Rente für ihren Lebensunterhalt, und zwar eine
Verschreibung zu 1000 Livres und zwei andere zu
350 Livres durch Herrn von Saint-Maurice, die sie seit
fast sieben Jahren bezieht."

6

Die Demütigung, als „Genremaler" in die Akademie
aufgenommen zu sein, brachte Greuze entsetzlich auf
und machte ihn rasend vor gekränktem Stolz. Die
Bücher, Flugschriften und Ausstellungsberichte Diderots schildern die ganze Maßlosigkeit dieser nervösen,
gereizten, aufgeblasenen, zügellosen Künstlereitelkeit,
die Greuze mit der Ungeschliffenheit und Roheit eines
Arbeiters zur Schau trug[1]). Sowie an seinen Werken
die geringste Kritik geübt wurde, geriet der Künstler
in geradezu kindischen, oft wirklich lächerlichen Zorn.

---

[1]) Es steckt die Roheit eines Pantoffelmachers in dem Menschen,
sagte Mariette. Als der Dauphin ihn bat, sobald er sein Porträt fertig hätte,
das Porträt der Dauphine zu malen, erwiderte Greuze in Gegenwart der
Dauphine, daß er bäte, ihm das zu erlassen, da er solche Gesichter nicht
zu malen verstände, womit er auf die Schminke auf ihren Wangen anspielte.

143

Als Frau Geoffrin sich erlaubt hatte „das Kinder-Fricassée" auf der *Vielgeliebten Mutter* zu kritisieren, rief er: „*Wie kann sie sich herausnehmen, über ein Kunstwerk zu sprechen? Sie soll sich nur in acht nehmen, daß ich sie nicht verewige! Ich werde sie als Schullehrerin malen, mit der Rute in der Hand, und alle Kinder sollen sich heute und in aller Zukunft vor ihr fürchten.*" Soviel man auch in den Salons lachte, Greuze leitete nach wie vor die Ausstellung seiner Bilder mit einer Rede ein, die sich ungefähr in diesen Ausdrücken bewegte: „O! mein Herr, Sie werden ein Bild sehen, das mich selbst, der ich es geschaffen habe, überrascht. — Es ist mir unfaßlich, wie der Mensch mit ein bißchen zerriebenem Gestein eine Leinwand so beleben kann, und lebten wir in heidnischen Zeiten, so würde ich wahrlich das Schicksal des Prometheus fürchten. . . ." — Diese Selbstvergötterung, diese Bewunderung für sein Genie und seine Schöpfungen hielt bei Greuze allem gegenüber stand. Die Lächerlichkeit traf sie nicht, die Ironie glitt an ihr ab. Im Salon von 1765 sagte Herr von Marigny vor der „Weinenden" zu ihm: „*Das ist sehr schön.*" — „*Mein Herr, ich weiß es; man lobt mich mehr als nötig, aber es fehlt mir an Arbeit.*" — „Das kommt, weil Sie ein Heer von Feinden haben," antwortete ihm Vernet, sein Mitbruder in der Loge der Neuf-Soeurs, „und unter diesen Feinden jemand, der Sie rasend zu lieben scheint und Sie zugrunde richten wird." — „*Und wer ist dieser Jemand?*" — „Sie selbst."

Vernet übertrieb: Greuze schadete sich nicht so sehr. Sein Dünkel hatte bei aller Unverfrorenheit

144

Jean Baptiste Greuze   *Das Milchmädchen*

etwas Kindliches, bei aller Dreistigkeit etwas Treu-
herziges, das entwaffnete. Zudem entschädigte der
Maler für den Menschen. Alles verzieh man diesem
sprudelnden Temperament, dem Künstler, der in Begeisterung glühte, der ganz in·seiner Kunst aufging,
mit Herz und Sinnen in sein Werk versenkt war, ganz
beseelt, ganz erfüllt von dem, was er malte, der sozusagen derart in seinen Bildern lebte, daß die Stimmung
seiner Komposition vom Morgen noch abends in der
Gesellschaft einen trüben oder heitern Widerschein auf
seine Stirn, in seine Seele warf.

Unter der Verachtung der Akademiker empörte sich
dieser Stolz, der an Schmeichelei gewöhnt war. In der
ersten Erregung erklärte Greuze der Akademie, daß er
darauf verzichte, ihr anzugehören, worauf Pierre ihm
antwortete, daß ,,Seine Majestät es ihm befehlen werde".
Greuze beharrte nicht bei seinem Willen, aber er beschickte einfach die Ausstellungen der Akademie nicht.
In seiner üblen Laune verließ er Paris, schlug seine
Wohnung bei einer befreundeten Familie in Anjou
auf und malte dort Bilder, die in der Galerie von
Livois lange bewundert wurden, und das Porträt der
Frau von Porcin, das heute im Museum von Angers ist.
Nach Paris zurückgekehrt, legte sich sein Groll noch
immer nicht. Er suchte etwas darin, allein gegen die
Akademie zu kämpfen, sagte stets, daß man im Salon
nur Klecksereien sähe und in sein Atelier kommen
müsse, um Gemälde zu finden. Die Gunst des Publi-
kums, die Greuze umgab, ermunterte ihn zu diesem
Kriege gegen die Akademie, zu dieser Mißachtung gegen

ihre Ausstellungen. Er stellte in seinem Hause aus und die Menge strömte zu seinen Bildern. *Das Lob der Unbescheidenheit*, *Adele und Theodor* verfehlten nicht, den Atelierbesuch bei Greuze auf die Liste der Beschäftigungen zu setzen, mit denen eine elegante Frau den Tag ausfüllte. Die vornehmste Gesellschaft, die Leute mit den ersten Namen, die besten Kreise, der Hof, der Adel, Prinzen von Geblüt, Könige, die Paris besuchten[1]), kamen zu dem Maler und bewunderten das Porträt von Franklin, „*Die Barmherzige Schwester*", „*Den väterlichen Fluch*", „*Den bestraften Sohn*", „*Den zerbrochenen Krug*", „*Die Danae*". Ganz Paris kam herbei[2]). Im Gefolge der vornehmen Herren und Damen kam das Bürgertum der Zeit, das sich damals an allen Kunstfragen beteiligte. Frau Roland hat uns in ihren Briefen die folgende merkwürdige Erzählung eines Besuches bei dem Maler hinterlassen:

19. September 1777.

„Am letzten Donnerstag habe ich voller Rührung an den Genuß gedacht, den wir hatten, liebe Sophie, als wir vor zwei Jahren zusammen zu Herrn Greuze gingen. Mein Besuch hatte diesmal denselben Zweck, wie unser gemeinsamer damals. Er malt ein Bild, das er „den väterlichen Fluch" nennt; ich versuche nicht, Dir Einzelheiten zu schildern, das würde zu weit

---

[1]) Im August 1777 schickte der Graf von Falkenstein Greuze das Freiherrndiplom und viertausend Dukaten, als er ein Gemälde bestellte.

[2]) Als die Neugierde etwas nachläßt und Paris den Weg zu seinem Atelier vergißt, sucht Greuze sie mit Zueignungsschriften, die wie jene zu „Witwe und Seelsorger" die Beschreibung seines Bildes bringen, in den Zeitungen anzustacheln.

146

führen. Ich begnüge mich, zu bemerken, daß trotz der vielen und mannigfaltigen Leidenschaften, die der Künstler echt und kraftvoll ausdrückt, der Gesamteindruck des Werkes nicht die Rührung erweckt, die wir beide empfanden, als wir das andere betrachteten. Der Unterschied ist wohl in der Natur des Gegenstandes begründet. Man kann bei Herrn Greuze das allzu graue Kolorit beanstanden, das ich an all seinen Bildern tadeln würde, wenn ich nicht am selben Tage ein Stück in ganz anderer Art gesehen hätte, das er mir mit besonderer Artigkeit zeigte. Es ist ein unschuldiges, frisches, reizendes Mädelchen, das seinen Krug zerbrochen hat: es trägt ihn am Arm, ganz nahe bei dem Brunnen, wo das Unglück geschehen ist; seine Augen sind halb geschlossen, es steht noch mit offenem Munde da, versucht sich über das Unglück Rechenschaft zu geben und weiß nicht, ob es seine Schuld ist. Man kann nichts Reizenderes, nichts Süßeres sehen. Nur könnte man aussetzen, daß Herr Greuze seine Kleine nicht so ärgerlich dargestellt hat, als ob sie in Zukunft nicht mehr in Versuchung käme, zum Brunnen zu gehen. Ich sagte ihm das, und wir haben sehr gelacht über den Scherz.

Er hat Rubens in diesem Jahre nicht bekrittelt; seine Persönlichkeit hat mir viel besser gefallen. Er hat mir bereitwilligst erzählt, wieviel Verbindliches der Kaiser ihm gesagt hat: „Sind Sie in Italien gewesen, mein Herr?" — „Ja, Herr Graf, ich habe zwei Jahre dort gelebt." — „Aber Sie haben diese Genres nicht von dort mitgebracht, es ist Ihr alleiniges Eigentum,

10*

147

Sie sind der Dichter Ihrer Bilder." Das war sehr fein
ausgedrückt, das Wort ist doppelsinnig; ich war boshaft genug, die eine Bedeutung zu betonen und verbindlich hinzuzusetzen: „Wenn etwas den Ausdruck
Ihrer Bilder noch erhöhen kann, so ist es wahrlich die
Schilderung, die Sie davon geben." Die Eitelkeit des
Schriftstellers versagte nicht, Herr Greuze fühlte sich
anscheinend geschmeichelt. Ich war drei Viertelstunden
bei ihm, nur von Mignonne begleitet; es war mäßig
besucht, und ich hatte ihn fast ganz für mich.

7

Wenn Jahrhunderte altern, werden sie gefühlvoll,
ihre Verderbtheit wird weich. Dieser Zeitpunkt mutet
im achtzehnten Jahrhundert seltsam an. Als ob das
Gewissen eines Wüstlings kindisch geworden wäre.
Die Worte Menschlichkeit und Wohltun erscheinen
ihm plötzlich wie eine Offenbarung. Die Unglücklichen
erwecken Teilnahme, das Elend rührt, Montyon setzt
seine Tugendpreise aus, die Philanthropie entsteht.
Die Nächstenliebe wird der Roman der Phantasie.
Die Familie blüht anscheinend wieder auf. Die Ehe
wird neu entdeckt. Ernste Gedanken an Glück lösen
die leichtfertigen Gedanken an Lust ab. Das Familien-
glück wird in den Himmel erhoben. Die Häuslichkeit
wird verherrlicht. Die Götter der Pflicht kehren an den
häuslichen Herd zurück. Es ist Mode, Mutter zu sein,
es ist eine Ehre, selbst zu nähren. Die Brust mit dem
saugenden Kinde schwillt vor Stolz. Die Dürre der
Zeit verlangt überall nach Tau, die Geister fordern

148

Kühle, die Tränen wollen fließen. Eine weiche, schwüle Erregung zieht durch die Luft dieser zerwühlten, unruhigen Jahre, in denen das Frührot und der Gewittersturm der Revolution heraufkommen. Rousseau begeistert und Florian entzückt. Der Wind säuselt von Schäferglück und rauscht von Weltbeglückung. Die gesamte Gesellschaft hätschelt das Bild einer Tugend, die sie wie eine Puppe schmückt. Die Herzöge krönen in ihren Dörfern Jungfrauen, denen die „*Mätressen*" aus Paris Beifall klatschen. Rosen der Unschuld blühen in Salency. Die Moral verordnet sich Buttermilch. Die Geldleute entwerfen den Plan zu einem *Moulin-Joli*. Trianon baut bei Versailles das kleine opernhafte Dorf, das als Hintergrund für das Theater des Sédaine bestimmt war. Es ist eine allgemeine Einbildung, ein nationaler Rausch; sogar die Geschichte scheint über diesen Kindertraum zu lächeln, denn sie setzt an die Spitze dieser Zeit einen königlichen Hofhalt, der an die Lustspielfiguren Goldonis erinnert: der König scheint eine Einfalt vom Lande: er ist der Wohltäter, der in den Märchen jener Zeit zu Fuß zu den Bauern kommt. Man sieht ihn die Ärmel aufstreifen, um einem steckengebliebenen Fuhrmann aus dem Morast zu helfen. Und sieht man hinter der Königin nicht die „menschlichen Züge" der Dauphine?

Greuze ist der Repräsentant dieses Gefühls in der Malerei. Er ist der Maler dieser Illusion. Seine Inspiration ist der letzte Aufschwung dieser Gesellschaft zu der verjüngenden Liebe, zu den Träumen, Bildern, Spielen, die neues Licht in die Seele einer niedergehen-

149

den Gesellschaft werfen. Er spricht zu der Empfindsamkeit seiner Zeit, er faßt sie bei ihrer Sentimentalität. In der *„Barmherzigen Schwester"* schildert und verkörpert er die Barmherzigkeit. Er hätschelt und befriedigt ihre Instinkte, er gibt ihren Träumen Gestalt, wenn er auf jeder Seite seines Werkes die Feste der Tugend, die Krönung der Tugend malt und in seinen Bildern dem Abbé Aubert den Stoff zu seinen moralischen Geschichten gibt. *„Der häusliche Friede"*, *„Der Dreikönigskuchen"*, *„Die Mama"*, *„Die Großmama"*, *„Der Gichtbrüchige, den seine Kinder bedienen"*, *„Die vielgeliebte Mutter"*, — das sind die Stoffe zu seinen Bildern, ihre Themen, ihre Titel. Seine Dichtung bewegt sich im Kreise der Familie; hier entsteht sie, hier entwickelt sie sich, hier schmückt sie sich mit Tugenden, hier nimmt sie gefällige Formen an. Sein Werk entrollt das Glück der Arbeit im ländlichen Gewande; sogar seine Dramen: *„Das zerrissene Testament"*, *„Die Stiefmutter"*, *„Der väterliche Fluch"*, *„Der bestrafte Sohn"* sind dem häuslichen Leben entnommen. Die sanfte Rührung, die von der Kindheit ausgeht, liegt über all seinen Bildern: *„Die entwöhnenden Mütter"*, *„Die gute Erziehung"*, *„Der schmerzliche Verlust"*, *„Die heimkehrende Amme"*; das Herz seines Werkes ist eine Wiege.

Welchen Eindruck für Auge und Herz hinterlassen nun dieses Werk und diese Malerei, die Kupferstiche nach seinen Bildern, wie diese Bilder selbst? Welche Spuren bleiben, wenn man eine Leinwand von ihm gesehen, eine Komposition betrachtet hat? Ist es der

150

einfache, einheitliche, gesunde Eindruck, den ein Chardin hinterläßt? Ist man vor diesen häuslichen Bildern von dem Frieden und der Heiterkeit des Bürgerhauses ergriffen, wie von der strengen Einheit und natürlichen Ehrbarkeit des „Tischgebets" und der „Morgentoilette"? Bietet Greuze dem Geist ein klares Bild der Familie, eine ehrliche Darstellung der Häuslichkeit mit ihren Freuden? Rührt er uns, wie Chardin, mit der Ordnung des Hauses, dem Glück bescheidenen Wohlstandes? Zeigt er die bürgerliche Frau seiner Zeit wahr in der Haltung, echt in der schmucklosen Tracht? Geht man von einem Gemälde Greuzes fort mit frohem, zufriedenem Herzen, von lauteren, gesunden, sittlichen Gedanken erbaut, von der sanften Rührung und dem reinen Licht erhoben, das der schöne Traum von Glück und Pflicht dem Gefühl verleihen müßte? Greuze löst keine solchen Empfindungen aus. Sein Werk hat nicht die Harmonie, die ergreift, die Einfachheit, die rührt, die Reinheit, die erhebt. Der Eindruck, den er hervorruft ist wirr, unklar, verwischt. Das kommt daher, daß diese Malerei des Greuze mehr als einen Mangel, daß sie ein Laster hat: sie birgt eine Art Verderbtheit, sie ist wesentlich sinnlich, sinnlich im Kern wie in der Form, in der Komposition, der Zeichnung, ja sogar im Strich. Die Tugend, die in seinen Werken endlos wiederkehrt, scheint stets aus den Erzählungen des Marmontel zu stammen. Die Familiengemälde verlieren unter seiner Hand ihre Schlichtheit, ihren Ernst, ihre Sammlung. Seine Hand hat etwas unaussprechlich Kokettes, Leichtfertiges, es nimmt der

151

Mutterschaft die Heiligkeit, die Zeichen ihrer Würde. Wenn sich über die Wiege des schlafenden Kindes die beiden Gestalten des ehelichen Glückes neigen, so vermag er den Eltern nur das Lächeln der Lust zu geben, der Frau nur die Bewegung und Zärtlichkeit der fille du monde. Überall durchkreuzt das Temperament der Zeit, das Temperament des Menschen die Ideen des Malers und mischt in all diese eifrige Moral eine leise Liederlichkeit, so daß man auf Augenblicke hinter dem Moralisten einen offiziell tugendsamen Baudouin erblickt. Unwillkürlich steigt vor seinen Bildern die Erinnerung auf an die Hampelmänner vom Boulevard, die neben einem gemeinen Bilde das Motto tragen:

Dieses Bild für Greuze verkündet seine Götter.

. . . .

Hinter seinen reinsten Bildern meint man sein weißes Haar zu sehen, das weiße Haar, das Madame Lebrun bewunderte und verehrte, wie es in den Spelunken von Nicolet und den Genossen, den Beaujolais in den Delassements-Comiques verhöhnt, besudelt, durch den Schmutz geschleift wird. Seine Frauengestalten lassen seine Vorbilder erraten und die Demoiselles Gosset erkennen. — — —

Anordnung der Gruppen, Zubehör, Stellungen, Körperhaltung, Kleidung, alles trägt zu dieser sinnlichen Erregung bei. Die Stellungen sind lässig, wie hingegossen, die Brüste schwellen in herausfordernder Fülle über dem üppigen Körper. Das Gewand, wie die ganze Kleidung fügt zu dieser wollüstigen Weichheit noch wallende Stoffe, weiche Farben. Zwischen der

152

Frau, die Greuze darstellt, und dem Verlangen gibt es keine Schranke mehr, nicht das strenge Kleid, das nüchterne Halstuch, die einfache, schmucklose, fast klösterliche Tracht der Bürgermädchen Chardins. Alles wogt und flattert um ihre Glieder, alles ist Traum, Laune, Ungebundenheit: die Leinwand spielt mit den Reizen, die sie verhüllt, und diese Leinwand, mit der Greuze die Haut bedeckt, die den Ansatz ihrer Arme, ihrer Brüste umkost, ist nicht mehr die grobe Hausleinwand, die frisch, wenn auch ungebleicht aus der ländlichen Waschbütte kommt, es ist das Linnen der galanten Unterkleider, das sich leicht in Falten und Rüschen legt, das Linnen für die duftigen Häubchen, das Linnen für die Bänder, die an das errötende Ohr schlagen, das Linnen der durchsichtigen Busentücher, durch die das rosige Fleisch schimmert und das ein Frauenherz schneller schlagen läßt; — Scheinhüllen, die ein Hauch mühelos verschiebt! Es sind nur Jacken und Mieder mit losen Nesteln, mit Zierschleifen, lockere Gewänder, die widerstandslos, haltlos beim ersten Ansturm zu Boden sinken müssen. Denn darin liegt Greuzes Raffinement: die Schlichtheit und Schmucklosigkeit des jungen Mädchens wandelt er in eine Herausforderung. Dem Schleier, der die Jungfrau einhüllt, und der noch den Duft ihrer Keuschheit birgt, gibt er eine schalkhafte Koketterie und förmlich aufregende Falten. Und die heilige Farbe der Jugend, der Frauenreinheit, die leuchtende Bescheidenheit ihres Kleides, das Weiß! wird in den Bildern des Malers ein Reiz, eine besondere Anregung zur Lust, ein Köder, ein Leckerbissen, der

153

dem Blick unaufhörlich einen Winkel aus dem „Lever der Putzmacherinnen" vorspiegelt.

Welche Frau, welches Gesicht taucht nun bei dem Maler des „Zerbrochenen Kruges", des „Toten Vogels", des „Zerbrochenen Spiegels" aus diesem Weiß, diesem durchsichtigen Linnen, diesem in Unordnung gekommenen Batist auf? Eine Schönheit, in deren Augen etwas Wehrloses liegt, deren Mund ein feuchter Glanz verklärt, deren Blick zwar schwimmend und verloren scheint, trotzdem aber lebendig, und unter den gesenkten Lidern immer auf der Lauer ist. Das ist die Unschuld von Paris und dem achtzehnten Jahrhundert, eine leichte Unschuld nahe dem Falle; es ist Manon mit fünfzehn Jahren, die kleine Wäscherin, die im Kämmerlein von Desforges so bequem naiv ist. Keine andere Reinheit als Lächeln und Jugend, Schwachheit und Tränen leiht Greuze dem jungen Mädchen, dessen Züge er so oft wiederholt. So wie er jungfräuliche Scham darstellt, ruft sie die Erinnerung an das Buch wach, an das er eben schon gemahnte. Die Unschuld, die er verkörpert, ist genau die Unschuld der Cécile Volanges, eine Unschuld ohne Stärke und ohne Reue, die mit dem Zauber und Geschick engelhafter Heuchelei und natürlicher Verderbtheit der Überraschung, den Sinnen, der Lust erliegt. Und prüft man diese Unschuld, die für Greuze bezeichnend ist, die ihm Erfolg und Ruhm bedeutete, genauer, so will es scheinen, als ob der Maler sie einem alten Jahrhundert, den trägen Lüsten des achtzehnten Jahrhunderts zuführt, wie man einem Greise die verderbte Jugend einer Frau zuführt, um ihn zu verjüngen.

154

8

Greuze hatte viel Geld verdient. Seine Gemälde
wurden teuer bezahlt. Das Abkommen, das er mit
Massard, Gaillard, Levasseur, Flipart zur Ausbeutung
und zum Stechen seiner Bilder getroffen, hatte ihm
ein Vermögen eingebracht. Durch Jahre hatte Paris,
die Provinz und das Ausland nur Sachen von Greuze
verlangt und gekauft. Die Baudouin, die Lavreince,
alle neckischen Stiche wanderten auf den Boden, ver-
drängt von dieser Moral in Bildern Greuzes, die man
noch heute an den Wänden alter Häuser in der Provinz
trifft. Zu dieser übergroßen Vorliebe gesellte sich zum
Heil der Gesellschaft die Wut der Sammler, die durch
Nachfragen geschickt erregt und gereizt und durch
Abzüge, wie sie der französische Kupferstichhandel noch
nicht gekannt hatte, wach erhalten wurde.

Als Lockmittel gab man die verschiedensten Plattenzustände aus, eine ganze Skala von Abzügen, um mit
diesen Seltenheiten den Kunstsinn oder die Eitelkeit
zu reizen. Nichts wurde vergessen: Abzüge vor der
Schrift, vor dem Wappen, vor der Widmung, vor der
Adresse, vor dem Titel des Hofmalers, vor dem Punkte!
Sie waren gleichsam die Gewänder des Kupferstiches
von der Nacktheit bis zum Festgewande. Man verkaufte ihn ohne jede Bekleidung, man schmückte ihn
mit allen Reizen, und der Erfolg dieses Verfahrens war
so groß, daß Greuze und seine Stecher die Platten auf
der Rückseite zeichneten, um sich vor Nachahmung
der Plattenzustände zu schützen und die Platten zu
beglaubigen.

155

Die Revolution nahm Greuze alles. Sein Vermögen ging in Assignaten dahin, sein Ruhm ging unter, seine Bilder veralteten und wurden vergessen. Er geriet immer mehr in Not und verschwand im Dunkel der Vergessenheit. Der alternde Mann, der sich selbst überlebte, trug schwer an der Last seines toten Ruhmes. Er gehörte schon der Vergangenheit an, sein Publikum hatte gelebt. In seiner Nähe stammte nichts mehr aus seiner Zeit. Mit jedem neuen Bilde von David sanken Schweigen und Verachtung tiefer auf die Malerei von einst. Greuze brachte seine letzten Lebensjahre damit zu, der Stille zu lauschen, die seinen Namen verschlang; er glaubte den Undank der Nachwelt zu erleben. Ein trauriges Ende, das wie eine Sühne seines Erfolges erscheint. Eine harte Prüfung, wie sie vielen verwöhnten Kindern des achtzehnten Jahrhunderts auferlegt wurde. Die Revolution hatte sie ausgestoßen, und sie irrten nun heimatlos umher, wie in eine fremde Zeit verbannt, die für ihren Ruhm nicht Boden noch Sonne hatte, Schiffbrüchigen vergleichbar, die allein übrig sind von einer untergegangenen Welt!

Man hört den Jammer dieses elenden, vergessenen, ins Herz getroffenen Alters aus der kläglichen Bittschrift an den Minister des Innern:

„Das Gemälde, das ich für die Regierung mache, ist zur Hälfte fertig. Meine Lage zwingt mich, Sie zu bitten, Befehl zu geben, daß ich noch einen Vorschuß erhalte, um es vollenden zu können. Es war mir vergönnt, Ihnen mein ganzes Unglück aufzudecken: ich habe alles verloren, nur nicht mein Talent und den Mut. Ich bin

156

75 Jahre alt und habe nicht ein Werk in Auftrag. Nie
im Leben habe ich so schwere Zeiten durchgemacht. Sie
haben ein gütiges Herz; ich tröste mich mit der Hoffnung,
daß Sie meiner Not baldige Beachtung schenken, denn
meine Bedrängnis ist groß. Mit ehrfurchtsvollem Gruß
GREUZE.

Am 28. Pluviôse im Jahre IX.

Greuze, Rue des Orties gallerie du Louvre no 11"[1]).

Doch ein Glück lächelte ihm noch im Alter. Eine
Frau war ihm zur Seite, die den Namen einer Antigone
verdient. Die liebende Hingebung seiner Tochter be-
gleitete ihn bis zum Tode und umsorgte ihn voll
sanfter Zärtlichkeit. Das waren die Hände, die er in der
Familie des Gichtbrüchigen gemalt hatte.

Greuze starb am 30. Ventôse im Jahre XIII
(Donnerstag, den 21. März 1805), und das Trauergefolge
des Mannes, dessen Kupferstiche die Welt erfüllten,
den ein Kaiser besucht, den eine ganze Gesellschaft
angebetet hatte, bestand nur aus Dumont und Ber-
thélemy.

---

[1]) Handschriftlicher Brief von Greuze, veröffentlicht von der *Ikono-graphie* (Sammlung Chambry). Delort, in: *Mes voyages aux environs de Paris*, berichtet uns, daß diese Kopie der büßenden Magdalena, Greuzes letztes Werk, bei dem Maler vom Prinzen von Canino bestellt wurde, den der Jammer seiner 75 Jahre rührte.

157

NOTIZEN

Grétry, der eine Tochter von Grandon und nicht Gromdon, wie Frau von Valori ihn nennt, geheiratet hatte, bringt in seinen *Essais sur la Musique* eine merkwürdige Geschichte über Greuzes verliebten Charakter aus der Zeit seines Aufenthaltes bei dem Meister in Lyon. Greuze glühte im Geheimen für die Frau seines Meisters, die sehr schön war. Und als Grétrys Frau, die noch ganz jung war, ihn eines Tages im Atelier an der Erde liegend fand und fragte, was er dort mache, antwortete er: *„Ich suche etwas.“* Aber sie hatte wohl gesehen, daß es ein Schuh ihrer Mutter war, den er mit heißen Küssen bedeckte.

Urlaub für Herrn GREUZE zu einer Reise nach Italien.

24. September 1755.

„Wir, Marquis von Marigny — — — erlauben dem Hofmaler und Mitgliede der königlichen Akademie der bildenden Künste, Herrn Greuze, nach Italien zu reisen, um neue Kenntnisse zu erwerben und sich in der Malkunst noch weiter zu vervollkommnen durch das Studium der Werke, die ihm dort zugänglich sind. Urkundlich dessen — — —“

Dieser Urlaubsschein ist dem Nationalarchiv O[1] 1092 entnommen und in den *Nouvelles Archives de l'Art français*, Jahrgang 1878, veröffentlicht worden.

28. Januar 1756.

„— — — Der Herr Abbé Gougenot, Mitglied des großen Rates, ist auf seiner Reise über Neapel in Rom

158

eingetroffen, begleitet von Herrn Greuze, dem neuen Mitgliede der Akademie, dem der Ruf eines großen Talentes vorausgeht. Er wird es hier durch einige Werke, die er zu malen gedenkt, erweisen."

In einem Briefe, der aus der Autographenauktion des Herrn Sensier stammt und im Besitz des Herrn Henri-Lambert Lassus ist, äußert sich Natoire unter dem Datum des 22. Dezember 1756 folgendermaßen über Greuze:

„Ich erhielt Ihr geschätztes Schreiben vom 28. November, das Herrn Greuze betrifft und das Wohlwollen, das Sie ihm erweisen. Ich habe ihm Mitteilung davon gemacht und ihm die einzelnen Punkte vorgelesen, worüber er sehr gerührt schien (sic). Doch bittet er mich nach reiflicher Überlegung, Ihnen, mein Herr, zu sagen, daß seine Gesundheit ihm keinen langen Aufenthalt in Rom gestatte und er sich entschlossen habe, in ungefähr zwei Monaten abzureisen. Wenn Sie ihm Ihr Wohlwollen auch nach seiner Rückkehr erhalten wollten, würde er es durch Fleiß zu verdienen suchen und die zwei Werke malen, um die Sie ihn bitten. Er ist ein Mensch, dem die Arbeit nur schwer von der Hand geht, und bei seiner großen Begabung ist er tausend Eindrücken zugänglich, die ihm die Ruhe rauben."

Wir lassen einen zweiten Brief von Natoire über die beiden Bilder, die Marigny im Namen der Frau von Pompadour bestellt hat, folgen.

159

22. Februar 1757.

„Ich habe Herrn Greuze den Brief mitgeteilt, den Sie mir am 13. Januar seinetwegen zu schreiben geruhten betreffs der beiden Gemälde, die Sie bei ihm bestellten und für die Sie seine Rückkehr nach Frankreich abwarten wollen. Er erkennt Ihre Güte dankbar an. Jetzt hat er eben das Pendant eines Bildes für den Herrn Abbé Gougenot beendet, das viel Talent zeigt; es wird so ziemlich seine letzte Arbeit in Rom sein."

Und nun gebe ich noch den fesselnden Brief wieder, der diese Bestellung enthält, die Greuze, dem Befehl vom 13. Januar gemäß, erst nach seiner Rückkehr ausführte:

Versailles, den 28. November 1756.

„Mit Vergnügen höre ich, geehrter Herr, daß dieser Herr Greuze es sich sehr angelegen sein läßt, seine Begabung für die Malerei zu pflegen; ich habe in Paris Bilder gesehen, die er aus Rom geschickt hat und die mir so gut gefallen, daß ich, da ich weiß, daß seine Geldmittel nur beschränkt sind, beschlossen habe, ihm Gelegenheit zu verschaffen, sich durch seine Arbeit zu ernähren und sich so in seiner Kunst zu vervollkommnen. Suchen Sie gütigst von der Wohnung, welche die verstorbene Frau von Vleughels in der Akademie inne hatte, ein Zimmer abzutrennen, das er bewohnen könnte und in dem er das für seine Arbeit erforderliche Licht hätte, und geben Sie es ihm. Er kann seine Miete sparen, was, wenn es auch nur eine geringe Ausgabe ist, ihm eine kleine Erleichterung sein wird. Sie finden einliegend ein ovales Maß, das

160

Jean Baptiste Greuze   Selbstbildnis

Sie ihm gütigst übergeben wollen, damit er zwei Bilder in gleicher Größe malt. Ich stelle es seinem Genie anheim, sich nach Gefallen einen Stoff zu wählen. Die beiden Bilder sind für die Gemächer der Frau von Pompadour im Schlosse von Versailles bestimmt. Ermahnen Sie ihn, seinen vollen Fleiß darauf zu verwenden. Der ganze Hof wird sie sehen, und es können ihm große Vorteile daraus erwachsen, wenn sie gefallen. Legen Sie ihm diese beiden Bilder daher ans Herz und versichern Sie ihm, daß ich mit Vergnügen jede sich bietende Gelegenheit ergreifen werde, ihn zu fördern.

Marquis von Marigny."

Greuze reiste im April des nächsten Jahres aus Rom ab. (Brief vom 20. April 1757.)

Académie de France à Rome von Lecoy de la Marche. *Gazette des Beaux-Arts* (September 1870—71).

Herr Renouvier führt aus der *Revue universelle des Arts* 1855 eine Äußerung des Abbé Gougenot an, die über Greuzes Arbeit in Rom und seinen Charakter Aufschluß gibt: „Greuze war launenhafter als irgendein Künstler. Man mußte, um ihn zufrieden zu stellen, in aller Eile die Leute zusammenbringen, die er zur Ausführung des Bildes brauchte, mit dem er sich gerade beschäftigte. Waren sie dann glücklich alle beisammen, dann war auf einmal seine Stimmung, wie er sagte, verflogen; er fühlte sich nicht mehr fähig zu arbeiten und schickte seine Modelle heim, die trotzdem den für die Sitzung ausbedungenen Preis erhielten. Solche Einfälle waren häufig bei dem wunderlichen Menschen."

Im *Feuille nécessaire* von 1759, das in der *Revue universelle des Arts*, Jahrgang 1863, zitiert wird, liest man:

„Herr Greuze hat eben sein Gemälde „Die Einfalt" selbst kopiert und zwar derartig, daß man sieht, wieviel geistige Kraft in seiner Kunst steckt. Das Bild war im Louvre ausgestellt und gehörte der Frau ***. Da es einer Dame des Hofes gefallen hatte, der die Künste so viel verdanken, daß man ihr nichts versagen kann (Frau von Pompadour), so kündigte die Besitzerin ihr an, daß das Werk, da es ihr gefiele, ihr Eigentum sei. Der Maler hat Frau *** für dieses Opfer, das sehr schmeichelhaft für ihn war, entschädigen wollen. Er hat nach demselben Vorwurfe, der ihm als Modell gedient hat und dessen naive Züge den Charakter der Einfalt, den er wiedergeben wollte, so gut ausdrücken, ein Bild komponiert, in dem er sich selbst übertroffen hat. Er hat einen abstechenden Grund gewählt, der den Wert des Bildes erhöht und einige Fehler ausgemerzt, die bei der ersten Komposition mit untergelaufen waren."

ERLASS ÜBER DIE BEWILLIGUNG EINER
WOHNUNG IM LOUVRE FÜR HERRN GREUZE.
Den *Archives nationales* O[1] 1060 entnommen.

Am 6. März 1769.

„Heute, am 6. März 1769, hat Seine Majestät bei seiner Anwesenheit in Versailles dem Herrn Greuze, Maler an Seiner Akademie, als Beweis seiner Gunst, die durch das Hinscheiden des Herrn La Roche frei-

162

gewordene Wohnung in den Louvregalerien in Gnaden bewilligt, zu lebenslänglicher Benutzung, wie sie steht und liegt, und zwar nach dem bei der Generaldirektion der Bauten Seiner Majestät hinterlegten Plan, mit der Bedingung, daß er sie unter allen Umständen selbst bewohnen muß und sie weder vermieten noch jemand abtreten darf, unter welchem Vorwande es auch sei. So gebietet und befiehlt Seine Majestät dem Herrn Marquis von Marigny, usw. . . ."

Herr von Marigny gab Greuze im Jahre darauf bekannt (8. Januar 1770), daß er vom Könige die Summe von 500 Livres erhalten habe für die nötige Ausbesserung und Herstellung seiner Wohnung. In dieser Wohnung (der Wohnung Nr. 16), in der er der Nachfolger des verblichenen Herrn La Roche wurde, lebte Greuze vom 6. März 1769 bis zum 4. Februar 1780, wo er nach seiner Entlassung durch den Bildhauer Allegrain abgelöst wurde. Und ein Brief Pierres an Herrn von Angiviller spricht noch unterm 2. Februar 1780 von einer Summe von 1500 Livres „als Entschädigungskosten in Anbetracht der sehr verwohnten Räume". *Nouvelles Archives de l'Art français, 1773.*

Eine wunderliche Karikatur jener Zeit verspottet die klägliche Lächerlichkeit von Greuzes Frau, während sie zugleich auf seine Eitelkeit stichelt und die Raubgier Levasseurs verlacht, der der bevorzugte Stecher des Hauses war. Das geschah gelegentlich der Herausgabe des Kupferstiches der *Stiefmutter.* Die Radierung stellt einen Obelisken dar, auf dem man

11 *   163

oberhalb des Kupferstiches einen Kopf ohne Gehirn sieht mit dem Namen *Greuze.* Der Obelisk wankt, von dem Kopf erschüttert, der unter seinem Postament eine Pfeife raucht. Aus ihrem Qualm bilden sich folgende Zauberzeichen: *la bourse et mes écus f^{tre.}* Unerschütterlich aufrecht erhebt sich dahinter ein anderer Obelisk mit dem Bilde Fliparts, über dem gekrönt das Wort „virtus" steht. Die Nadel des Radierers und Pamphletisten hat folgendes eingegraben:

Der hocherhabenen, großmächtigen, unsterblich lächerlichen Frau, Gemahlin des I.-B.Greuze, der vorzeiten auf ein Historienbild als Genremaler ernannt ist, gewidmet — von ihrem Historiographen.

In der Nähe seines alten Trampels sagte G. — eines Tages ganz atemlos zu Jeannette: „Ich will Dich mit Ruhm bedecken, ich will einen Vorwurf zutage fördern, der den anständigen Leuten Grauen erregt. Du sollst mir als Modell dienen, Liebste: ich will ein schlechtes Frauenzimmer malen."

ERKLÄRUNG DES OBELISKEN.

Herr Le Vasseur (der die Stiefmutter gestochen hat) wird zermalmt vom Einsturze des Obelisken, der Greuzes seligem Ruhme errichtet war. — Das Unglück wurde durch einen Nadelstich verursacht, der eine von den Blasen traf, auf die das Gebäude gegründet war, das Greuzes Bildnis, mit Disteln und Pfauenfedern bekränzt, trägt. — — — Das Ganze endet mit Pfeifen.

Neue durchgesehene, vermehrte und verbesserte Auflage, da die erste in drei Tagen vergriffen war.

164

Wir geben zwei in wunderlicher Rechtschreibung
verfaßte Briefe der Frau Greuze wieder, die den Bilder-
verkauf ihres Mannes betreffen und an Herrn Fontanel,
den Buchhändler und Verwalter der Zeichnungen an
der Akademie in Montpellier, gerichtet sind. Sie wurden
in der *Revue de Documents historiques* von Charavay
im Jahre 1874 veröffentlicht.

Paris, 17. Oktober 1780.

„Sie können, geehrter Herr, den Kopf, den Sie von
Herrn Greuze haben, zurückgeben; er wird Ihnen nach
Empfang Ihres Briefes einen andern schicken, den Sie
von zweien auswählen können; und zum selben Preise;
der eine stellt ein Kind dar, eben so groß wie Sie es
hatten und so schön wie er noch keins gemacht hat;
der andere ein junges Mädchen mit halb entblößtem
Halse, sie scheint zu lauschen. Es ist zwei Zoll höher
und breiter als das Ihrige und kostet dasselbe. Bitte
mir in Ihrer Antwort anzugeben, mit welchem Fuhr-
werk ich die Kiste schicken soll und Ihre ganz genaue
Adresse, damit Sie sie ohne Verzug erhalten. M. Greuze
läßt sich empfehlen.

Ich habe die Ehre ganz ergebenst zu sein, Ihre
gehorsame Dienerin,

B. Greuze.

Rue Notre-Dame-des-Victoires, Nr. 12."

Paris, am 6. Januar 1781.

„Herr Greuze, geehrter Herr, wird sich geradezu
ein Vergnügen daraus machen, Ihnen vor jedem andern

165

den Vorzug zu geben; er erfüllt genau alle Bedingungen,
die Sie stellen.

Aber Sie müssen mir Antwort schreiben nach
Empfang meines Briefes, zur Sicherheit unserer
Abmachungen; das Bild kostet 200 Louis; und der
Rahmen ist schwarz. Herr Greuze bittet Sie, über
den Kinderkopf, den er Ihnen geschickt hat, un-
besorgt zu sein; das Holz ist sehr haltbar; es ist
unmöglich, daß es spaltet; er bittet Sie, sowie ich,
der Gefühle versichert zu sein, mit denen ich die
Ehre habe zu sein

Ihre ganz gehorsame Dienerin

B. Greuze.

Bitte nicht zu vergessen das Datum zu schreiben."

Diesen Briefen seiner Frau fügen wir eine Probe
der Korrespondenz des Mannes hinzu, gleichfalls in
falscher Rechtschreibung verfaßt; einen Brief aus der
Sammlung Alfred Bovets, in dem Greuze einer Akademie (zweifellos der Akademie in Rouen) dankt, daß
sie ihn zum Mitglied ernannt hat.

„Geehrter Herr!

Wenn mir je etwas schmeichelhaft gewesen ist, so
ist es, das kann ich Ihnen versichern, das gütige n-
erbieten, das Sie mir machen, mir einen Platz in Ihrer
Akademie anzuweisen; ich nehme es ebenso dankbar
wie freudig an; und ich kann Ihnen entgegnen, daß die
Ehre, die Sie mir erweisen, meine Mühe und meinen
Eifer neu entfachen wird, um einer so geschätzten

166

Körperschaft noch würdiger zu werden; ich erwarte Ihre Antwort mit größter Beflissenheit und bin mit Hochachtung, geehrter Herr,

Ihr sehr ergebener, gehorsamer

Diener Greuze.

Greuze, Hofmaler an der Königlichen Akademie für Malerei und Skulptur, Rue de Sorbonne.

Paris, 9. März 1766."

Miger entwirft ein drolliges Bild von Greuzes Eitelkeit. „Nur die Dummen," so schreibt er, „die von Eitelkeit durchdrungen sind, können sich für vollkommene Geschöpfe halten. Hierher gehörte auch der Maler Greuze, an dessen Bilder man auch nicht das kleinste Lob zu verschwenden brauchte, weil er es sich selbst angelegen sein ließ, sie zu preisen. Bei diesem Künstler vermißte man nur ein Weihrauchbecken, um seinem Ruhme und seiner Ehre zu opfern. Hier eine kleine Äußerung von ihm. In der Zeit, als man die großen allgemeinen Gemäldeausstellungen hatte, sagte er, daß wohl ein Dilettant, wie mit der Peitsche gejagt, durch den Salon laufen und gelegentlich rufen könne: Ach, wie schön! — daß aber ein wahrer Kenner vom frühen Morgen an, im Schlafrock und sozusagen in der Nachtmütze, vor seinen Bildern weilen und den ganzen Tag in Begeisterung verleben müsse. Ecce homo." *(Biographie du Graveur Miger* von Bellier de la Chavignerie, 1856.)

167

In einer Adresse der Pariser Maler an Lebrun, der eine Ausstellung in seinen Räumen veranstaltet hatte, einer Adresse, die in den ersten Jahren der Revolution geschrieben und von Greuze unterzeichnet ist, äußert sich der Maler folgendermaßen:

„Geehrter Herr, es ist bei uns unvergessen, daß Sie und unter Verhältnissen, in denen Paris und ganz Frankreich die schöne und herrliche Freiheit, die das Leben für die Kunst bedeutet, nicht einmal ahnte, großherzig Ihre Räume für die Ausstellung unserer Arbeiten geöffnet haben. Heute erneuern Sie diese Liebenswürdigkeit. Geehrter Herr, durch Ihre Fürsorge und unter Ihrem Schutze sind unsere Werke zusammengekommen. Warum dürfen wir nicht, im Gefühle unserer tiefsten Dankbarkeit, an den Eingang des uns gebotenen Asyls schreiben: Salon d'encouragement des Arts? Welch schönern Namen könnte man ihm zuerkennen, seit der ehr- und tugendsame Chef des Gemeinderates (Bailly) und der General unserer Bürgergarde (La Fayette) unsere Arbeiten mit ihrer Beachtung geehrt haben? Möge dieser glückverheißende Anfang unserm Eifer so förderlich sein, als unsere Dankbarkeit Ihnen gegenüber, sehr geehrter Herr, unermeßlich und dauernd sein wird.

Greuze
im Namen der Kommission."

Catalogue d'autographes von B. Fillon, 1874—1875.

Greuze hatte einen förmlichen Abscheu vor alten Frauen, und angesichts einer alten Kokette aus der

168

Jean Baptiste Greuze   *Herzog von Orleans*

Nachbarschaft, die sich mit ihrem Getue und ihrem geschminkten Gesicht am Fenster zeigte, ließ er seine Palette aus der Hand fallen. Herr Pillet setzt hinzu, daß er Putz und auffallende Kleider liebte, und daß man ihn mitten in der Revolution in einem scharlachroten Kleide, den Degen an der Seite, hat spazieren gehen sehen.

Über die *Dorfbraut*, die Herr von Marigny für 2000 Livres vom Künstler und der König für 16650 Livres auf der Auktion Marigny im Jahre 1782 erwarb, entnehmen wir den *Nouvelles Archives de l'Art français* einige bemerkenswerte Stellen. Da haben wir zunächst die Notiz von Cochin, die den Ankauf des Gemäldes bestimmt: „Die Dorfbraut von Greuze ist das schönste Bild, das er in diesem Genre gemalt hat, weshalb es für wert befunden wird, der Königlichen Sammlung einverleibt zu werden." Ferner hier die Notiz von Pierre: „Das beste Bild von Greuze, sehr fein und sogar sehr schön; leider sind alle Lasuren verschwunden, und so zeigt das Bild eine Grellheit und Härte, die es früher nicht hatte. Die Bilder, die in satten Farben gemalt sind, gewinnen mit den Jahren, die, deren Harmonie erkünstelt ist, verlieren. Alle Künstler waren von der vorliegenden Tatsache überrascht." Dann folgt der Brief vom 3. April 1782, in dem der General-Direktor dem ersten Hofmaler den Auftrag zum Ankaufe des Bildes gibt. „Es erübrigt noch, mit Ihnen von dem Bilde des Herrn Greuze zu sprechen, das Donnerstag gekauft werden soll; ich wußte es, und

169

es lag in meiner Absicht, schon vorher endgültig den Preis festzusetzen, der mir für den König geziemend scheint. Wenn ich also einerseits die Unannehmlichkeit erwäge, daß es uns entgehen und ins Ausland wandern könne, anderseits die Verhältnisse, in denen sich die königlichen Bauten befinden, so meine ich, 20—24000 Livres allerhöchstens anlegen zu dürfen. Sie mögen Herrn Joullain die diesbezüglichen Befehle geben." Und diese Bruchstücke schließen mit einem Briefe Joullains vom 6. Juli 1782, worin der Sachverständige seine Provision beansprucht von den 16650 Livres, wofür das Gemälde erworben wurde.

170

DIE SAINT-AUBIN

1

In Frankreich ist nur ein Ding des Erfolges sicher: die Abwechselung. Man mag diesem Frankreich auf das angenehmste die Zeit vertreiben, mag es auf das köstlichste unterhalten mit der Leichtigkeit, der Grazie, der Lustigkeit, dem anmutigen Geiste, dem Lächeln eines Werkes, das wie das Spiegelbild des Lächelns im zeitgenössischen Leben wirkt; man mag, als Maler, mit übermütigem Stift die Komödie seiner Zeit schildern, mag als ein Chardin oder Watteau das Ideal des häuslichen Lebens oder das poetische Ideal seines Jahrhunderts im Bilde festhalten, man wird sich doch nicht jener feierlichen Glorie, die „Beachtung durch die Nachwelt" heißt, erfreuen können. Wahrlich, unser Frankreich ist ein merkwürdiges Land! Undankbar allein gegen die Kinder seines Genius. Da ist es denn, rund heraus gesagt, kein Wunder, daß die Saint-Aubin so gründlich tot und begraben sind.

2

Es gibt Familien, die durch das Gewerbe, von dem sie leben, der Kunst so nahe stehen, daß eines schönen Tages die Kinder oder die Enkel aus dem väterlichen Gewerbe herausspringen und zur Kunst übergehen. Das war der Fall bei den beiden Saint-Aubin, Gabriel und Augustin, die der Stickereiwerkstatt ihres Vaters,

173

des Hofstickers Germain de Saint-Aubin, bei dem sie zunächst gearbeitet hatten, schon in jugendlichem Alter den Rücken kehrten und unter die Zeichner gingen. Und unter den fünfzehn Kindern, die der alte Vater Germain mit seiner Ehefrau Catherine Imbert hatte, waren noch zwei, die der inneren Stimme folgten und ihr Glück anderswo versuchten: Louis-Michel de Saint-Aubin, der Porzellanmaler wurde, und der erstgeborene Charles-Germain de Saint Aubin, der Stickmuster zeichnete und die *Papillonneries Humaines* schuf.

3

Wir geben hier einen humoristischen Stammbaum der Saint-Aubin wieder, der einem Manuskript mit Gouachebildern entnommen ist, das den Titel trägt: „Sammlung von Pflanzen, nach der Natur gemalt von de Saint-Aubin, Hofzeichner Seiner Majestät des Königs Ludwig XV., 1736—1785 *[Receuil (sic) de Plantes copiés d'après nature, par (Charles-Germain) de Saint-Aubin, Dessinateur du Roy Louis XV (Collection Destailleur)]*.

STAMMBAUM DER SAINT-AUBIN

François-Germain de Saint-Aubin war im Jahre 1601 ein armer kleiner Pächter im Dorfe Berneux bei Beauvais. Seine Frau war eine gewisse Tiennette Blanchard. Sie mußten sich sehr plagen, damit sie ihr Auskommen hatten. Beide starben im Jahre 1630 und hinterließen einen Sohn.

Louis-Germain de Saint-Aubin, der ebenfalls Landmann war, heiratete im Jahre 1631 Françoise Piat.

174

Er mußte sich ebenso wie sein Vater tüchtig schinden, gönnte sich Sonntags sein Huhn und trug einen Anzug aus grobem Wollstoff, der am Ellbogen ausgebessert war. Er starb in Berneux im Jahre 1688 und hinterließ:
Germain de Saint-Aubin, geboren 1657. Dieser konnte dem Ackerbau und der Landwirtschaft keiren Geschmack abgewinnen, ging als junger Mensch nach Paris, erlernte dort die Stickerei, heiratete in erster Ehe 1689 Anne Boissay, die Tochter des Stickers Boissay in Chartres, trat 1692 als Sticker und Hausverwalter in die Dienste der Herzogin von Lesdiguières, verlor 1705 seine Frau und verheiratete sich in demselben Jahre wieder mit Marthe Rivet, mit der er keine Kinder hatte. Beide starben 1734. Er war viel zu gewissenhaft und langsam, um ein größeres Vermögen zu hinterlassen. Er trug das ganze Jahr hindurch einen Tuchrock mit Goldknöpfen. Aus der ersten Ehe hinterließ er drei Kinder.

1. Marthe de Saint-Aubin, geboren 1690, heiratete 1720 den Fächerhändler Charles Aublan. Es ist ihnen nicht gut gegangen, sie ist 1735 gestorben und hat drei Kinder hinterlassen.

2. Gabriel-Germain de Saint-Aubin, geboren 1696, heiratete aus Neigung Jeanne-Catherine Imbert aus Nogent. Er starb als Hofsticker des Königs 1756, seine Frau folgte ihm sechs Monate später. Er trug einen schwarzen Tuchrock im Winter und ein leichtes, baumwollenes Röckchen im Sommer, war mit fünfzig Jahren weit lustiger und übermütiger als mit vierzig, plackte sich redlich und hinterließ seinen sieben Kindern, die von fünfzehn am Leben geblieben waren, so gut wie gar nichts.

175

3. Pierre de Saint-Aubin, geboren 1700, heiratete 1726 Louise-Catherine de Saulsoy und wurde Schnitt- und Kurzwarenhändler. Klug und einsichtig lebte er ganz allein, zurückgezogen und sehr fromm, war höchst sparsam und trug zehn Jahre lang ein und denselben Rock. Da er auch keinen Ehrgeiz besaß, zog er sich 1766 mit einem ganz kleinen Vermögen vom Geschäft zurück. Er hatte drei Kinder, die in jugendlichem Alter starben. Er selbst starb am 20. November 1775 und hinterließ laut Testament seinen Neffen gerade so viel, ja fast nicht genug, um seinetwegen Trauer anlegen zu können, und Catherine-Louise de Saint-Aubin alles, was beim Tode seiner Frau (die am 15. Juni 1783 starb) übrig bleiben würde.

Die sieben Kinder des Gabriel-Germain de Saint-Aubin sind:

1. Charles-Germain de Saint-Aubin, geboren den 17. Januar 1721. Er heiratete aus Neigung 1751 Françoise Trouvé, die 1759 im Wochenbett starb. Er bekam den Titel Hofzeichner Seiner Majestät des Königs, arbeitete sehr emsig und brachte, da er äußerst sparsam war, für seine Kinder ein Sümmchen zusammen, wovon er jedoch durch die Schuld der Bankverwaltung die Hälfte wieder verlor. Er starb am 6. März 1786.

2. Gabriel-Jacques de Saint-Aubin, geboren den 14. April 1724. Wurde Maler. Voller Kenntnisse und Gelehrsamkeit, wollte die Entwicklung seines Talentes nicht recht fortschreiten, obgleich er zu jeder Zeit und überall zeichnete. Er war ein Sonderling, Schmutzfink

176

Augustin de Saint-Aubin   Rokokodame

und ungeselliger Mensch und blieb glücklicherweise Junggeselle. Er starb 1780 bei seinem älteren Bruder, wohin man ihn ein paar Tage vorher gebracht hatte. Er hinterließ viele Zeichnungen in schlechtem Zustande.

3. Catherine-Louise de Saint-Aubin, geboren den 5. April 1727. Sie besaß keine Leidenschaft, aber einen hervorragenden Charakter, sie blieb unverheiratet; Pierre de Saint-Aubin machte sie zu seiner Universalerbin. Sie starb im Jahre 1805 zu Fontainebleau.

4. Louis-Michel de Saint-Aubin, geboren den 20. März 1731, verheiratete sich fast gegen seinen Willen mit Marie-Anne Leclerc. Er war ein guter Ehemann ohne nennenswerte Intelligenz und beschränkte sich darauf, in der königlichen Manufaktur zu Sèvres als Porzellanmaler zu arbeiten. Er hatte drei Kinder und starb am 24. Dezember 1779 in Versailles bei seiner Tochter, einer liebenswürdigen und trefflichen Musikerin, die mit dem Architekten Richard verheiratet war, von dem sie zwei Kinder hatte.

5. Athanase de Saint-Aubin, geboren den 20. März 1734, ging bei einem Schnitt- und Kurzwarenhändler in die Lehre, war dann als Kommis in mehreren Stellungen tätig und faßte 1764 den köstlichen Entschluß, zum Theater zu gehen. Er spielte auf Provinzbühnen und war kein Licht. Er starb in Pont-Audemer am 27. Mai 1783 und hinterließ allerhand Sachen im Werte von 4000 Franken. Er hatte eine sehr schöne Stimme und sang sehr gut.

6. Augustin de Saint-Aubin, geboren den 3. Juni 1736. Er verheiratete sich aus Neigung mit Louise-

Nicole Godeau im Jahre 1764. - Er wurde Zeichner und Stecher, hatte Erfolg, wurde 1775 Mitglied der königlichen Akademie und 1777 Hofstecher Seiner Majestät des Königs und seiner Bibliothek. Er war sanften Charakters, gesellig und sehr liebenswürdig. Er hatte fünf Kinder, die ganz jung starben. Er selbst starb am 9. November 1807 nach langer schwerer Krankheit.

7. Agathe de Saint-Aubin, geboren den 12. Dezember 1739. Sie war ein scheues und mißgestaltetes Wesen und starb am 26. August 1764.

Der Verfasser dieses Stammbaumes der Saint-Aubin fügt hier hinzu: „Ich hielt es nicht für angebracht, die acht übrigen Kinder des Gabriel-Germain de Saint-Aubin aufzuzählen, die alle als kleine Kinder starben, aber zweifellos Großes geleistet hätten."

4

Gabriel-Jacques de Saint-Aubin wurde also am 14. April 1724 zu Paris geboren. Er nahm Unterricht bei Jeaurat, Colin de Vermont und Boucher. Schon frühzeitig hatte er auf der königlichen Akademie für Malerei mit Fleiß und Geschmack Studien nach der Natur gemacht. Nachdem er sich im Zeichnen mehrmals Medaillen errungen hatte, trat er etwa im Jahre 1751 als Mitbewerber um den großen Preis für Malerei auf. Aber er bekam nur den zweiten Preis. Grollend und verletzt kehrte Gabriel der Akademie den Rücken, in einer Weise, die einem Bruch gleichkam. Im Laufe eines Tages schüttelte er alles von sich ab, die Akademie und alles Akademische, häutete sich neu, schickte den

178

Ehrgeiz zum Teufel, wandte sich wieder seinen früheren Göttern zu und wurde plötzlich der Gabriel de Saint-Aubin, der er sein Leben lang bleiben sollte, ein Künstler, der mit allem Herkömmlichen, mit jeder Art von Tradition und Technik in der Kunst gebrochen, der jede Scheu vor dem Urteil der Welt überwunden hatte und das Schöne in dem, was er täglich sah, suchte, in dem Schauspiel, das ihm das Paris des achtzehnten Jahrhunderts bot.

So lebte und arbeitete er in seinem stillen Winkel mit dem Bewußtsein, den rechten Weg eingeschlagen zu haben, fernab jeder Partei, sozusagen vogelfrei, außerhalb der Sphäre der herrschenden Geschmacksrichtungen, wie das wohl jeder Geist tut, der an sich selbst glaubt, der Mut besitzt und auf den Tageserfolg verzichtet, nur darauf bedacht, sich selbst Genugtuung zu verschaffen und sich am eigenen Beifall zu erfreuen, ganz sich selbst hingegeben, ohne seinem Trieb ein Hindernis entgegenzustellen, nachsichtig gegen seinen Genius, sich ganz der Entwicklung seiner natürlichen Begabung überlassend. Ein merkwürdiger Mensch, der obendrein überall Bescheid wußte, der bei aller naiven Frische seines Talentes ein Gelehrter war und mit seinen Kenntnissen in jedem Fach der Malerei manch einem Akademieprofessor hätte unter die Arme greifen können; der aber doch im Dunkeln blieb, ohne Vermögen, ohne Ruhm und vielleicht so gut wie unbekannt gewesen wäre, wenn ihn nicht dann und wann in buntem Durcheinander mit anderen Unbekannten eine dürftige und bedürftige, etwas unstete Akademie

12*   179

der Öffentlichkeit gezeigt hätte: ich meine die Akademie Sankt Lukas.

Sie mag wohl ganz nach dem Geschmack des Saint-Aubin gewesen sein mit ihrem unregelmäßigen, verdächtigen Betrieb, mit ihren oft lang aussetzenden Ausstellungen und ihrem immer zwischen Nachsicht und Drohung hin und her schwebenden Dasein; sie war von den Augustinern ins Hotel Jabach verzogen und fand schließlich durch Voyer d'Argenson Aufnahme im Arsenal, und zwar in der Cour du Grand-Maître; sie wurde von der königlichen Akademie verachtet und dennoch gehaßt und mit allerhand Scherereien verfolgt. Aber es gehört ja so wenig dazu, als ein Mons Aventinus zu gelten. So kam denn Gabriel aus seinem Versteck hervor und ging zur Akademie Sankt Lukas über. Nur dort trat er an die Öffentlichkeit, forderte das Urteil heraus und lief höchst träge einer Berühmtheit nach, die er wie schmollend hinnahm. Schüler von Sankt Lukas zu sein, betrachtete er als höchstes Ziel. Als dozierender Professor vor der versammelten Akademie Sankt Lukas hat er sich für die Nachwelt auf einer Kreidezeichnung darstellen wollen, die Herr Paignon Dijonval besaß; dieses kostbare Blatt ist leider verloren gegangen, und mit ihm würden wohl auch die Gesichtszüge unseres charmanten Malers hinweggerafft worden sein, wenn nicht ein Kunstliebhaber, Herr von Baudicour, das Glück gehabt hätte, ein zweites Porträt Gabriels de Saint-Aubin zu finden, das einer von uns zum erstenmal radiert hat — ein Porträt, das den ganzen Menschen verrät und auf dem man alle seine Leiden

180

und seelischen Schmerzen und auch die ganze Energie seines Willens lesen kann.

Im Grunde genommen hatte der Akademiker von Sankt Lukas aus seinem mißglückten Ringen um den akademischen Ruhm den Vorteil gezogen, der ihm frommte: er tröstete sich über seine getäuschten Hoffnungen, indem er alle seine Kräfte zu einer ununterbrochenen Arbeit nach der Natur anspannte. Er machte fortwährend Studien, ganz wie es ihm beliebte und gleichsam nur für sich selbst. Es beherrschte ihn eine Leidenschaft, überall, immer und alle Welt zu zeichnen. Im Gehen und im Stehen; die Kirchen, die Boulevards, die Gärten von Paris, die Vorstadtbälle, die öffentlichen Lustbarkeiten, die Ausstellungen im Salon, die Vorstellungen in der Comédie und in der Oper, die Wiedereröffnungen des Parlaments, die Grundsteinlegungen von Denkmälern, Menschenansammlungen aller Art, die Rendez-vous der vornehmen Gesellschaft, wie sie sich amüsiert und gegeneinander intrigiert. Mit dem Zeichenstift in der Hand wanderte er ohne Rast und Ruhe zu jeder Stunde umher; mit dem Zeichenstift in der Hand war er bald hier, bald dort, entweder auf dem Bürgersteig oder mitten auf der Straße, mitten unter der Pariser Bevölkerung und erhaschte mit ein paar Strichen unmittelbar und lebendig alles, was an ihm vorüberging oder vorüberfuhr. Ob man ihn behelligte oder ihn zur Seite stieß, kümmerte ihn wenig, er zeichnete unbeirrt weiter, gierig, wie besessen, mit einer Hand, der alles zum Festhalten recht war; für jede Szene,

181

jede Gruppe, jeden Eindruck, jedes Profil brauchte er
ein paar Sekunden. Und so schenkte er uns, wie Herr
von Caylus ein berufener Zeichner ausgelassener Feste
war, alle Freuden und Belustigungen, kurz das ganze
tolle, übermütige Treiben der guten Stadt in Festtags-
stimmung: den Sonntag mit all seinen Nuancen, die
Schenken niederen Ranges mit ihren Gartenlauben,
die *dansées vigoureuses*, das Getrippel der kleinen Füßchen der Mamselles Godiches auf dem Sande des Gar-
tens, die fröhlichen Weisen der Soldaten von den
petits corps und Chansons spielende Musikkapellen, die
etwa der Kapelle der Witwe Trophée beim Eingang
des Cours oder jenen der Eishändlerin in Chaillot und
der Frau Liard im Roule entsprachen. Dann den Pont-
Neuf und seine Marktschreier in einer Atmosphäre,
die nach gebratenem Fett riecht, seine Hökerinnen und
ihren Lärm, seine Werber mit ihren Federbüschen,
die Wirkungen der wie ein Peitschenhieb knallenden
Ohrfeigen (*giroflées à cinq feuilles*) und „das geschwätzige
Treiben der siebzehn Todsünden". Unterhaltungen und
Feste aller Art, Ballbelustigungen auf der Straße und
Weinverteilungen an die Bevölkerung von Paris.
Schlemmereien mit Gonesse-Brötchen, Kuchen, Len-
denbraten und Hammelkeule. Die pomphaft inszenier-
ten Possenspiele. Und die Überbleibsel der Narren-
feste, jene Prozession des Lachens, jener Zug mit der
Kolossalgestalt des Türstehers aus der Rue aux Ours.
Und die großen militärischen Aufzüge, bei denen ganz
Paris seine Beschäftigung vergißt und staunend stehen
bleibt. Und die Pariser Vergnügungen an Sonntagen

182

in Saint-Cloud mit Musik und Tanz. Und den Karneval, diese wahre Herrschaft des Volkes. Und den Faschingsochsen mit den Herolden zu Pferde und dem Gefolge von Türken mit einer So ne auf dem Rücken und einem Amor, der damals ein mit einer Krone geschmückter kleiner König war und den Sankt Ludwigsorden am Bande um den Hals trug. Und diese Fortsetzung des Karnevals, die Foire de Besons, die im Triumph das Regiment der Narrenkappe auf allen Wegen zeigt, mit Federn geschmückte Pferde, pyramidenartig aufeinandergekletterte Hanswurste, Wagen, vollgepfropft mit Masken, die derbkomische Pantomimen vom Stapel lassen nach der Melodie: *O réguingué ô lon lan là!* kurz alle Vergnügungen jenes großen Kindes, das wir das Volk nennen — das alles ist die Domäne Gabriels.

Die Zeichnungen Gabriels mit starken Licht- und Schattenkontrasten und technisch fast immer so behandelt, daß man annehmen möchte, der Künstler hätte die Wirkungen einer Radierung im Auge gehabt, diese durch ihren malerischen Charakter des Zeichnerischen unter sämtlichen Zeichnungen des Jahrhunderts sofort erkennbaren Blätter, gewähren den Augen des Kunstfreundes einen erlesenen Genuß.

Man muß sich Zeichnungen vorstellen, deren Reiz in einer Leichtigkeit, einer Kühnheit, kurz in einer die Grenzen der Übertreibung streifenden Technik liegt, was den Anschein erweckt, als ob man es hier mit den Wagnissen, dem zufälligen Gelingen, den unverhofften Treffern eines glücklichen Zeichenstifts zu tun hat,

183

während es sich in Wahrheit um unmittelbares Können, um echte Kunst handelt. Zeichnungen, auf denen ein starker, sozusagen saftiger Umriß die Rundungen des Nackten hervorspringen läßt wie aus Schatten, den rundliche Erhöhungen werfen, mit Lichtstrahlen, die nur durch die Halbtöne der Hintergründe sichtbar gemacht zu sein scheinen. Zeichnungen, wo dicht neben einem höchst gewagten Schwarz Stellen, die kaum vom Zeichenstift berührt sind, leicht graue Stellen mit dem verwischten Ton eines Gegenabzugs, bei der Intensität der Schatten, das verstreute, unbestimmte, wie vom Licht verschluckte Strahlen solcher Stellen gewähren, die von einer Garbe des Tageslichts getroffen werden; Porträts, auf denen der lächelnde Ausdruck gleichsam entfernter Gesichter von der liebkosenden Hand des unmittelbaren Lebens gestreichelt zu sein scheint, in der brutalen Zurechtgestutztheit der ganzen Anlage und dem rohen Wirrwarr des Beiwerks. Vignetten, auf denen der teils verschwommene, teils mit ein paar sicheren und eleganten Strichen profilierte Umriß einer kleinen, zwei Zoll hohen Figur den Spielraum, den eine lebendige Form in einer Atmosphäre einnimmt, verleiht. Blätter, auf denen Gabriel eine in ihren Umrissen schwankende Frauensilhouette in die Weichheit des schraffierten Graphits hüllt, so daß sie wie leicht umwölkt erscheint und doch von ihrer Deutlichkeit nichts einbüßt. Aquarelle mit so kühnem Schwung im Kolorit, daß man nicht umhin kann, anzunehmen, das englische Aquarell vom Anfang des Jahrhunderts habe hier Pate gestanden. Gouachbilder, die große Ähnlich-

184

keit haben mit dem rohen Gewebe auf der Rückseite eines Seidenteppichs aus der Teppichwirkerei von Beauvais, wo das bunte Durcheinander der Fäden sich zu Männer- und Frauengestalten, zur Darstellung einer großen Menge von Menschen vereinigt. Endlich Skizzen, Skizzen, auf denen Gabriel, um die beabsichtigte Wirkung zu erreichen, alle möglichen Mischungen und Zusammenstellungen wagt; so verbindet er Reißblei mit Rötel und chinesischer Tusche und setzt darauf noch ein Gekritzel, das der Feder eines La Belle würdig gewesen wäre. Er verwäscht den Zeichenschiefer und erwärmt ihn mit Bister, worauf er bisweilen noch zerbröckelte Pastellkreide zerdrückt. Gabriel hat alle Mittel versucht, fortwährend erspäht er neue Quellen der Technik, ist er auf der Jagd nach neuen Verfahren und verwendet sogar zerriebenes Gold in flüssigem Zustande bei seinen Versuchen, wie ein Brief des *Avant-coureur* vom Jahre 1771 bezeugt[1]). Diese Versuche, dieses Tasten, diese Erfindungen, diese Entdeckungen, diese Kniffe und Kunstgriffe, dieser Mischmasch von Materialien — was damals etwas ganz Neues war — hatten Gabriels Technik zu einem Ragout künstlerischer Verfahren, zu einem wundervoll kühnen Gekritzel und Gekleckse entwickelt, das man bei keinem zweiten Künstler wieder trifft.

---

[1]) Avant-coureur vom Montag, den 29. April 1771.

... Ich habe bei dem Historienmaler Herrn von Saint-Aubin flüssiges Gold gesehen, das der Chemiker Thomé, wohnhaft zu Paris, gegenüber der École chrétienne, präpariert hatte. Man kann es wie Tinte anwenden und dann glätten. Dieses Geheimnis war unter Franz I. sehr bekannt, wie man auf dem Miniaturporträt dieses Fürsten von Nicola dell'Abate, das im Kupferstichkabinett des Königs aufbewahrt wird, sehen kann.

185

Diese umfassende Kenntnis der Wirkungen des Helldunkels auf dem Papier, diese ganze Kenntnis der Form, diese ganze Kunst und dieser ganze Geist der Darstellung nach der Natur können praktisch nirgends besser in die Erscheinung treten als bei einer sozusagen mikroskopischen Verkleinerung der Dinge, bei einer unendlich winzigen Abmessung der einzelnen Teile der Zeichnung. Hierin ist Gabriel de Saint-Aubin einzig und hat sich eine Originalität ohnegleichen geschaffen.

Als Augustin de Saint-Aubin im Jahre 1808 gestorben war, gelangte auf der Nachlaßauktion neben 142 Zeichnungen und einer umfangreichen Sammlung von Blättern noch ein anderer Teil seiner Hinterlassenschaft zum Verkauf, der in einer Pappschachtel dreizehn kleine Mappen mit Zeichnungen und vierzehn Kataloge von Gemäldeauktionen, geschmückt mit farbigen Skizzen und Zeichnungen von Gabriel de Saint-Aubin, umfaßte. Der ganze Inhalt der Pappschachtel wurde mit 87 Franken und 10 Sous bezahlt. Und die Kataloge wanderten wie wertlose Bücher, die keine Hoffnung haben, verkauft zu werden, in die Nacht irgendeines Trödlergewölbes, um dort unbemerkt zu bleiben, bis man vor wenigen Jahren wieder auf den Künstler aufmerksam wurde. Als man seinen Namen immer lauter nannte, kamen auch die Kataloge wieder ans Tageslicht, wurden angestaunt und von den Sammlern gekauft; und nach kurzer Zeit waren die vierzehn Kataloge und andere mehr in der Welt der Kunstliebhaber sehr begehrte Dinge. Sie gelangten in den

186

Besitz Pichons, Duplessis', Galichons, der den seinigen auf der Auktion Boilly im Jahre 1869 für 350 Franken eroberte. Seitdem hat man noch etwa zehn weitere Exemplare unter den Druckschriften aufgefunden und wie im Triumph dem Kupferstichkabinett einverleibt. So können heute Gabriels Freunde die Geschicklichkeit bewundern, womit der Zeichner auf dem schmalen Rande, in Höhe von kaum drei oder vier Zeilen ein Gemälde Van Dycks, eine Statue Houdons oder ein antikes Kleinod mit kaum drei oder vier Linien erkennbar wiedergegeben hat. Was nun aber unmittelbar in Erstaunen setzen muß, ist, daß die Skizzen der Gemälde und Kunstgegenstände meistenteils während des schnellen Vorüberziehens an den Augen der Kauflustigen, in der kurzen Frist zwischen dem Heben und Senken des Auktionshammers angefertigt worden sind. Und doch bleibt Gabriel oft noch Zeit genug, unter seine Zeichnung den Preis des verkauften Gegenstandes und den Namen des Erwerbers zu setzen. Er findet Zeit, bei diesem Gemälde den Vermerk zu machen, daß es von Patel und nicht von Benard ist, daß jenes Bild aus der Sammlung des Herrn von Julienne stammt, daß dieser Lancret sehr schön ist und daß von jener Radierung ein noch weiteren Kreisen unbekannter Abzug existiert. Am Rande seiner Zeichnungen, die nach einigen Stilleben Chardins aus dem Besitz des Goldschmieds Roettiers angefertigt sind, beschreibt er eine Einrahmung: einen Rahmen mit geschnitzten Zweigen und einer goldenen Kette verziert; und dicht neben seiner Skizze des „kleinen Mädchens mit dem Hunde"

187

von Greuze verrät uns eine von ihm gemachte Notiz, daß die Tochter des Malers das Modell für dieses kleine Mädchen abgegeben hat. Zog sich die Auktion in die Länge, so fand er, nachdem er seine Angaben, Berichtigungen und Bewunderungen zu Papier gebracht, wohl auch noch Muße, eine gerade im Saale auftauchende Frauengestalt mit ein paar Strichen in seinem Katalog festzuhalten.

Durch diese Auktionsverzeichnisse und ebenso durch drei gleichfalls im Besitz der Bibliothèque nationale befindliche Ausstellungskataloge empfängt man von allen Porträts, allen häuslichen Sujets, die nicht gestochen worden sind, eine Vorstellung, die, mag sie noch so klein sein, dennoch erlaubt, die Originale wiederzuerkennen oder zu bestimmen. So setzt uns zum Beispiel der Katalog des Natoire in den Stand, mit einem Teil des so wenig bekannten Werkes des Subleyras Bekanntschaft zu machen; dank dem Katalog des Michel Vanloo sind viele Gemälde der fünf Maler der Familie wenigstens in diesen Wiedergaben erhalten geblieben. Man beachte ferner, daß Gabriel nicht nur Gemälde und Statuen zeichnete; er hat auch Zeichnungen und Stiche, Medaillen und Antiquitäten, allerhand chinesische und japanische Kunst- und Gebrauchsgegenstände, Schalen und Wasserkannen und Becher aus Sevres und Meißen mit seinem Stift festgehalten. Ja, er ging noch weiter; er zeichnete nicht bloß das, was verdiente, in den Katalog aufgenommen zu werden, er mußte auch noch alle möglichen wertlosen Dinge im Bilde hinzufügen, die dann, aufs Geratewohl ver-

188

einigt, die letzte Nummer eines Katalogs bildeten,
und man hat einen merkwürdigen und wunderlichen
Anblick, wenn man sieht, wie sich auf einer solchen
schmalen Seite etwa zwanzig Zeichnungen stoßen und
drängen und dazwischen folgende gedruckte Worte
sich gleichsam ans Licht ringen:

Ende.

Gelesen und genehmigt von Cochin.

Druck und Verlag von Prault.

Diese Skizzen grenzen ans Wunderbare; solch ein
Lob allein kann so etwas wie einen Begriff geben von
diesem erstaunlichen Talent, das uns in einem auf den
ersten Blick wie Krähenfüße aussehenden Gekritzel
köstliche, echt malerisch aufgefaßte Studien nach
Männern und Frauen entdecken läßt, die anatomisch
richtig in der bei einem großen Gemälde erforderlichen
Lichtwirkung gezeichnet sind. Es gibt Landschaften
von ihm, deren Perspektive dadurch erreicht ist, daß
sein Daumen etwas schwarze Kreide an den richtigen
Stellen verrieben hat, Reiterangriffe, deren Heftig-
keit mit ein paar Federstrichen angedeutet ist — denn
man sicht in der Tat auf dem Papier, das die Flüssig-
keit schnell eingesogen hat, — kaum mehr als die
Tintenspuren eines Briefes auf einem Löschblatt. Hier
gibt eine glücklich hingesetzte Schattierung die Nacht-
stimmung eines Rembrandtschen Gemäldes wieder;
dort schwimmen auf einem freigebliebenen weißen
Fleckchen des betuschten und bezeichneten Papiers
kleine mythologische Motive in einer Glorie à la Boucher.
Es gibt solche kleine Bildchen von ihm, wie „Die Dorf-

189

braut" nach Greuze und „Das Grab des Dauphin",
die, hinterher mit Bister, chinesischer Tusche und
Gouache-Weiß ausgetuscht und mit der Feder überarbeitet, echte Meisterwerke darstellen. Und immer,
selbst in diesen winzig kleinen Skizzen, vertieft dieser
oben erwähnte, im Schatten deutlich hervortretende
Umriß, der stets nach dreidimensionalen Modellen
gezeichnet zu sein scheint oder wenigstens deren Wirkung wiedergeben will, den Raum und skizziert alle
Kunstgegenstände, selbst bei diesen ihren Reduktionen
auf die Größe eines geschnittenen Steines, reliefartig,
als ob der Künstler sie nach dem Schwefelabdruck
eines solchen geschnittenen Steines gezeichnet hätte.

Und doch, was bedeuten diese Katalogskizzen bei
der riesengroßen Zahl der übrigen Zeichnungen Gabriels
de Saint-Aubin! Diese Skizzen fertigte er doch sozu-
sagen nur als Lückenbüßer an trüben Tagen oder bei
Regenwetter an. Was bedeuten sie neben all jenen
Zeichnungen, die er an sonnigen Tagen machte, wenn
Leben auf den Straßen herrschte, neben diesem bunten
Durcheinander von Blättern, deren Stich, wenn es
einem Museum oder einer Privatsammlung gelänge,
sie alle zu vereinigen, die vollständigste illustrierte
Chronik der „vermischten Tagesneuigkeiten" von
Paris im achtzehnten Jahrhundert bilden würde.

Was würde wohl Rom aus Gabriel gemacht haben,
wenn er den ersten Preis auf der Akademie erhalten
hätte? Einen Historienmaler, der etwa die Bedeutung
Subleyras' erlangt hätte. Zwei Gemälde von ihm, die
wir bei Leblanc gesehen haben und die *G. de Saint-Aubin*

190

signiert sind, schienen seiner Zukunft nach dieser Richtung in der Tat kaum mehr zu versprechen[1]). Eins
stellt *Das Gesetz*, das andere *Die Archäologie* dar. Die
Akademie tat also ein gutes Werk, als sie ihn auf diese
Weise in Paris festhielt; denn Paris sollte Gabriels
Meister, Gabriels Genius werden. Und doch müssen
wir zunächst noch ein Werk nennen, das ungefähr in
das Jahr 1764 gehört und das er in Angriff genommen
haben mochte, als er sich eines Tages der Studien seiner
Jugendzeit erinnerte, übrigens ein Werk, das beachtet
zu werden verdient: wir meinen den vom Verlag Nyon
l'aîné veröffentlichten *Abriß der römischen Geschichte*.
Auf den ersten Blick unterscheiden sich Gabriels
Zeichnungen von den Zeichnungen Eisens und Grave-
lots. Sie sind hauptsächlich beachtenswert durch die
Großzügigkeit der dargestellten Gebäude und Be-
festigungen, durch die gewitterschwangeren Himmel,
durch die farbige Wirkung und die stürmische Be-
wegtheit der Szenen; beachtenswert, wenn auch nicht
durch ein Streben nach Lokalfarbe, so doch mindestens
durch eine ehrliche Bemühung, etwas anderes zu
schaffen, als die von den Darstellern der Comédie-
Française gespielten römischen Tragödien zu zeigen
vermochten. Ferner ist diesen Zeichnungen eine ganz

---

[1]) Wohlverstanden meine ich hier nur seine Historienmalerei; um
seine übrigen Bilder zu beurteilen, die an Feinheit der Farbe und Reiz der
Technik wohl auf der Höhe seiner Aquarelle anzunehmen sind, müßte man
ein durchaus authentisches Stück vor Augen haben, müßte man die auf der
Auktion der Frau du Barry verkaufte *Académie particulière* oder ein nach
der Beschreibung der Kataloge von Saint-Luc erkennbares Sittenbild wieder-
gefunden haben.

überraschende dekorative Seite eigen, und in jener Episode des ersten punischen Krieges mit den vielen Galeeren, die alle einen Elefantenkopf am Schiffsschnabel haben, auf dem Meere, gibt die unabsehbare, bis zum fernsten Horizont durchgeführte Abstufung der Triremen, der Ruder und der Segel eine Vorstellung dieser Kämpfe zweier aufeinanderstoßender Flotten, eines dieser großen nautischen Handgemenge im Altertum. Völlig neue Qualitäten jedoch, die man bei der französischen Schule der Zeit nicht anzutreffen gewohnt ist, offenbart Gabriel in Wahrheit erst im *Triumph des Pompejus*, in dem Gewimmel zu Füßen der Denkmäler des alten Rom, in diesem Durcheinander von Legionssoldaten, gefangenen Reitern, Mimen, Männern, Frauen, Kindern; dieser „Triumph" ist ein Kupferstich, dessen Großartigkeit der Perspektive, dessen theatralisches Gepränge im Aufbau, dessen zahllose und ganz unmöglich zu zählende Menschenmassen unwillkürlich an eine Komposition des englischen Malers Martins in einer Dekoration des Piranese denken lassen.

Gabriels Aufenthalt im Altertum war übrigens nur ein kurzer; seine siebenundzwanzig Zeichnungen mit antikem Milieu waren kaum beendet, als er schleunigst und für immer in sein geliebtes Paris zurückkehrte, um sich dort allem zu widmen, was sich entwickelte, sich ereignete, zutage trat. Je älter er wurde, um so fieberhafter gestaltete sich bei ihm diese Sucht, alles zeichnen, alles festhalten, alles auf einem Fetzen Papier aus seinem Notizbuch verewigen zu wollen; und man

192

Gabriel Jacques de Saint-Aubin   Der Salon von 1757

sieht ihn das ganze Jahr hindurch jeden Tag, den Gott
werden läßt, auf ewig jungen Beinen, an allen Ecken
und Enden von Paris bald hier, bald dort auftauchen,
um dem Ereignis oder der Sehenswürdigkeit des Tages
nachzuspüren. Ich erinnere mich, am unteren Rande
einer Skizze, die einen Abbé und eine Frau in Rückenansicht auf der Promenade zeigt, gelesen zu haben:
„Gezeichnet beim Spazierengehen um 7 Uhr abends
am 10. September 1764."

Wenn die Spiegelgalerie in Versailles illuminiert
wird, wenn ein siegreiches Geschütz, das aus der
Schlacht von Lutzelberg heimkehrt, über die Boulevards rollt, wenn man die Säule von Soissons in der
neuen Anlage der Mehl- und Getreidehallen aufstellt,
wenn man den Salon der „Muses du Wauxhall" der
Öffentlichkeit übergibt, wenn man das Tor des Palais
de Justice einweiht, wenn man auf der Seine eine
Probefahrt mit einem unversenkbaren Boot macht,
wenn man im Colisée dem König Ludwig XV. ein Fest
gibt — immer und sofort ist Gabriel da und macht als
Augenzeuge eine Kreidezeichnung, eine Rötelskizze,
ein Aquarell, ein Gouachebild, so groß wie die Seite
eines Damenalmanachs, und oft entsteht dann neben
der Zeichnung hinterher auch noch eine Radierung.
Als die Venus Mignots, die „das Gegenstück zum
antiken Hermaphroditen" bilden sollte, im Salon von
1757 fortwährend Bewunderer anzog, schuf Gabriel
jene schöne und kostbare, mit chinesischer Tusche
verwaschene Federzeichnung, die uns Mignots Statue
mit dem sie betrachtenden Türken zeigt. Als man

Voltaire in der Comédie-Française krönte, hielt Gabriel die Feier in jenem glänzenden Aquarell fest, das man in einer Mappe der Louvresammlung aufbewahrt und leider nicht zum Ruhme seines Namens ausgestellt hat. Und so skizziert und zeichnet dieser Gabriel de Saint-Aubin „zu jeder Stunde und überall", wie der *Almanach des artistes* von 1777 sagt. Wenn man sich zur Vorführung eines physikalischen Experimentes im mineralogischen Laboratorium der Münze versammelte, konnte mit Bestimmtheit auf die Anwesenheit Gabriels gerechnet werden, der die Retorten, die Glaskolben, die Reagensgläser, die Abbés und die vornehmen, für Physik interessierten Damen zeichnen wollte. Als die Stadt die Demi-lunes auf dem Pont-Neuf aufhebt, die vom Könige zugunsten der Witwenkasse der Akademie Sankt-Lukas verpachtet worden waren, eilt Gabriel herbei, um die Buden zu zeichnen, die man im Begriff ist fortzuschaffen. Als einmal die Meßzelte der Messe Saint-Germain in Brand geraten, erscheint Gabriel noch am selben Abend an Ort und Stelle und zeichnet die brennenden Trümmer. Als der Vorabend der Hinrichtung Damiens', der geviertelt werden sollte, gekommen war, gelang es Gabriel, zu dem Verurteilten in den Kerker zu kommen, wo er dann den mit Ketten an einen großen Stein gefesselten Attentäter zeichnete. Alle diese Zeichnungen und Skizzen tragen, wie man sich das bei einem Illustrator von Katalogen kaum anders denken kann, das Merkmal des Tages, man könnte fast sagen der Stunde ihres Entstehens. Bisweilen sogar befindet sich neben dem, was dargestellt

194

ist, ein historisches Durcheinander von Adressen, Rezepten von Malverfahren und Malmitteln, medizinischen Verordnungen; ringsherum sieht man Geschriebenes; es scheint ein Regen von Buchstaben und Abkürzungen, die man nur 'mit der Lupe entziffern kann, niedergegangen zu sein; der Rand flutet über von Notizen, kurzen Plaudereien und Reimen, die oft über die Zeichnung hinwegspringen; alles das sieht gerade so aus, als ob Gabriel de Saint-Aubin den Wunsch gehabt hätte, sich mit zukünftigen Sammlern und Freunden seiner Launen zu unterhalten.

Plaudereien, Geständnisse und Bekenntnisse kann man auf diesen Blättern antreffen. An zwanzig Stellen mindestens bricht ein Haß gegen die Jesuiten durch, und an zwanzig anderen leuchtet seine Vergötterung Voltaires auf, an den seinePhantasie so viele allegorische Einfälle und Entwürfe verschwendete[1]).

Seine Menschenliebe tritt in einem Spruch auf der „Probefahrt mit dem unversenkbaren Boot Bernières'" deutlich zutage. Man liest da: „Die einzige Ehre auf der Welt liegt darin, den Menschen nützlich zu sein."

---

[1]) Gabriel neigte von Natur aus sehr zur Allegorie. Den Zeichnungen, die er nach der Natur gemacht hat, muß man die vielen hundert Zeichnungen anschließen, worin seine Phantasie mitten im achtzehnten Jahrhundert die Mythologie seiner liebenswürdigen Akte wieder aufleben ließ. Die Geburt der Prinzen, ihre Hochzeit, der Tod seiner Berufsgenossen gaben ihm Wiegen, Tempel, Mausoleen ein, die er mit einer entzückend geistreichen Mythologie umrankte. Und selbst bei der Darstellung der realsten und nüchternsten Dinge muß er seine kleine allegorische Ecke haben. Zeichnet er ein Fischerstechen, so müssen Nereiden und pausbäckige Windgötter ihre Urnen auf den Himmel ausgießen. Zeichnet er die Vorführung eines chemischen Experimentes, so muß Phöbus sein Bild in einem Schilde betrachten, den ihm der Genius der Wissenschaft hinhält.

Mit diesen kleinen Bekenntnisfragmenten, die man wie die Glieder einer Kette verbinden müßte, wäre es fast möglich, den ganzen Menschen auferstehen zu lassen. Diese Utopistenseele, die schon eine Seele von 1789 ist, mit einem Gehirn, in welchem Philosophie und allerhand närrisches Zeug, künstlerische Instinkte und Halbgelehrtheit, durcheinanderbrodeln.

Gabriel verkehrte wenig mit Menschen seines Berufes, er lebte lieber mit Schriftstellern, Gelehrten, vornehmen Herren, Schauspielern und Schauspielerinnen, in deren Gesellschaft er bisweilen ein Souper mit der Exzentrizität seines Geistes und seines Witzes würzte. Gabriel barg sein Leben nicht wie sein Bruder Augustin in einem hübschen bürgerlichen Heim, das eine reizende Frau schmückte. Gabriels Leben spielt sich fern vom häuslichen Herde ab; entweder auf der Straße oder in jenem *Café de Vendôme*[1]), wo ich mir inmitten eines großen Kreises von Neuigkeitskrämern den Künstler vorstelle, wie er, lebhaft gestikulierend, in abgerissenen, herausgeschleuderten Sätzen spricht und sich auf diese Weise des ganzen philosophischen Geschwätzes entledigt, das der kleine Rand seiner Zeichnungen nicht fassen konnte.

Am Ende dieses Vagabundierens vom Morgen bis zum Abend, dieses Lebens und Arbeitens auf der Straße, dieser unbezähmbaren Sucht zu zeichnen, die

---

[1]) Dieses Café ist ganz undeutlich auf einem verschwommenen Aquarell dargestellt, das die Versteigerung im Mai 1864 unter Nummer 301 passierte. Das Aquarell hat den Titel: *Vue du Caffé de Vendôme, tenu par Mangin 1777,* und trägt am unteren Rande folgende kuriose Inschrift: *Ansicht des Cafés, wo der Maler dieses Aquarells seine Abende verbrachte.*

196

sich schließlich zu einer Art Monomanie auswuchs, war aus Gabriel ein vernachlässigter, unordentlicher Sonderling geworden; er kleidete sich schäbig, lebte in den Tag hinein und starb im Jahre 1780 infolge der unvernünftigen Lebensweise, durch die er seine körperlichen und geistigen Kräfte vorzeitig aufgerieben hatte.

Man lobt jedoch Gabriels Talent nur zur Hälfte, wenn man von seinen Zeichnungen allein spricht; daher wollen wir auch seiner Radierungen gedenken, jener entzückenden Platten, die aus diesem Kleinmeister des achtzehnten Jahrhunderts den einzigen, unvergleichlichen französischen Radierer machen.

Was wir von seinen Zeichnungen gesagt haben, begründet zur Genüge, daß er für die Radierung geboren war. Die Radierung ist das Werk der Eingebung und der Feile. Unmittelbare Äußerungsfähigkeit, Treffsicherheit, große Beweglichkeit des künstlerischen Nervs, eine höllische Verve und eine ebensolche Technik, alle diese Gaben des Glücks muß man haben, kurz, man muß im höchsten Grade gottbegeistert — und sehr geduldig sein. Gabriel war ganz der Mann für solch ein ungebundenes, rasches, beschwingtes Verfahren, das der Laune und dem Einfall so breiten Spielraum gewährt, mit seiner packenden Mache, mit seinen chemischen Geheimnissen, den Überraschungen oder Enttäuschungen der radierten Linien, den häufig auftretenden Gefühlen von Widerwillen gegen eine Platte und einem nach und nach durchbrechenden Gefühl, das wieder Gefallen an ihr findet, so daß man sie vielleicht zehnmal beiseite legt und zehnmal wieder

197

vornimmt. Er fiel also über die Kupferplatte her und
hatte sich sofort eine nur ihm gemäße Technik der
Nadel verschafft, die geschäftig hin und her fuhr und
an vielen, vielen Stellen sich in amüsanten Behand-
lungsweisen erging, manchmal zwar in Verwirrung
geriet, sich aber immer wieder zurechtfand, bisweilen
auch fast vermessen wild und feurig in die Platte
Kratzer ritzte, die haarfein und zart wie die Striche
einer dünnen Stecknadel waren; aber wenn diese Nadel
auch äußerst fein ist, kann sie doch, sobald sie will,
tiefe Furchen in das Kupfer graben und Schatten-
wirkungen erreichen, die an Rembrandt erinnern, ohne
sich im geringsten um die Glätte, die Geleektheit,
den sogenannten Glanz zu kümmern, woran die
im Handel beliebten Durchschnittsstiche so reich
sind.

Ob er seine Gestalten über die Straße huschen
läßt, ob er die Neuigkeitskrämer in einem Café zu
Gruppen vereinigt, oder ob er auf dem Ball zu Auteuil
die Paare unter dem schattigen Laub zum Rundtanz
vereinigt, immer ist Gabriel de Saint-Aubin bis in alle
Ecken der Platte an seiner ganz persönlichen Behandlung des Lichts, des Strichs, an dem prickelnden Leben
des Dargestellten zu erkennen: es sind kleine, wie zufällig hingeworfene, aus einem ganz nichtigen Vorwurf spielend gestaltete Werke, die, ganz für sich genommen, Gabriel de Saint-Aubin schon einen Platz
in der Kunstgeschichte sichern müssen.

Man betrachte die aristokratische und raffinierte
Darstellung der eleganten Welt auf den Stühlen des

198

Tuileriengartens. Man sieht nur zwei schmale Streifen, auf denen ein spitzes Instrument, fein wie eine Nähnadel, ein paar Stunden lang hin und her gefahren ist. Aber wie deutlich erkennt man da, unter dem Schatten großer Kastanienbäume zu Füßen der beiden Gruppen des Anchises und der Arria, alle Schönheiten und anmutigen Erscheinungen der eleganten Gesellschaft von damals; man hat ein Bild vor sich, das eine gewisse Ähnlichkeit besitzt mit dem Blick durch einen umgekehrten Operngucker, gewissermaßen ein Liliputbild des Lebens und Treibens auf einer Promenade. Und durch welches Wunder? Man vermag es in der Tat nicht zu sagen. Und man fragt sich immer wieder, wie es Gabriel hat gelingen können, mit einem solchen Gekritzel und auf einem so kleinen Raum dieses köstliche *Schauspiel der eleganten Welt im Tuileriengarten* zu zeigen.

Jedoch das kleine Wunderwerk Gabriels und zugleich die trefflichste aller radierten Platten des ganzen achtzehnten Jahrhunderts ist *Der Salon des Louvre im Jahre* 1753. Der Aufstieg der Besucher über die große Treppe zur Ausstellung, mit dem während des Hinaufgehens sich entspinnenden Gespräche zwischen zwei Kunstfreunden, die der Menge den Weg versperren, mit dem nachsinnenden Stehenbleiben jener Dame, an der man die eine Hand in entzückend lässiger Haltung sehen kann, mit dem trägen Hinaufsteigen jener andern Dame, die sich von dem Arme des geliebten Mannes fast tragen läßt, mit dem Festhalten all der übrigen, die an dem abschüssigen Treppengeländer, hinter dem

199

kleinen Schweizer mit der kleinen Hellebarde stehen —
alle diese Menschen auf der großen Treppe in allen
denkbaren ungezwungenen Bewegungen, in allerhand,
naive Neugier verratenden Stellungen, mit ungeduldig
vorgestrecktem Kopf und einem Blick, der schon
Gemälde zu schauen glaubt, in der ganzen Mannigfaltigkeit graziöser Bewegungen, welche das Erklimmen
der Stufen am Körper und an der Kleidung der Frau
sichtbar werden läßt: das bekommt man auf dieser
schönsten Kupferplatte Gabriels zu sehen, und die
ganze durch den Wechsel von Licht und Schatten zum
Ausdruck gelangende kokette Mimik wird im Grunde
dadurch erreicht, daß eine malerische Beleuchtung
durch die Fensterspalten in den Treppenbiegungen
schräg in den Raum fällt. Diese Lichtgestaltung ist
eine Glanzleistung allerersten Ranges; das Licht dringt
hier elementar in das Dunkel des Bildes und hat die
aufrührerische Wirkung, die ein Sonnenstrahl in der
nächtlichen Finsternis eines Zimmers mit geschlossenen
Fensterläden ausübt; es ist ein Licht, das allem,
was es streift oder umflutet, so etwas wie den Puls-
schlag lebendigen Lebens verleiht. Dabei ist die
Arbeit im höchsten Grade einfach; nichts als vertikale
oder horizontale Striche, die auf den Kleidern der
Figuren in etwas transversale Kurven übergehen, eine
etwas rauhe Behandlung der Kupferplatte und in den
Schatten die harte Wirkung eines alten Kupferstichs:
das ist alles; und das ist alles so gut, so gut, daß
man einen Rembrandtschen Stich vor Augen zu
haben glaubt, in dem ein Augenblick lang der Geist

200

der französischen Zeichenkunst sein Spiel getrieben
hatte.

5

Augustin de Saint-Aubin wurde am 3. Januar 1736
geboren; mit sechzehn Jahren machte er seinen ersten
Versuch als Radierer: eine kleine Platte, geschmückt
mit Amoretten, die Zymbeln schlagen, sprungweise
über die Bässe setzen, den Flöten lallende Laute entlocken, auf den Mandolinen klimpern und die Tamburine
schwingen; ein entzückendes Konzert im amüsantesten
Rokokostil ist diese Eintrittskarte des *Concert Bourgeois
de la Rue Saint-Antoine.* Man liebte und suchte so
etwas in dieser graziösen Zeit. Augustin befand sich
in einer guten Schule, nämlich in der seines Bruders
Gabriel, der ihn zeichnen, unaufhörlich zeichnen ließ,
und da Gabriel selbst rastlos skizzierte, ließ er auch den
Bruder den Zeichenstift nicht aus der Hand legen, verwies ihn jedoch ab und zu auf Rubens und ältere Stiche
als vortreffliche Lehrmeister. Gabriel meinte, Augustin
müßte sich dem historischen Stich, der großen ernsten
Komposition zuwenden; und Augustin dachte wie
Gabriel. Zweifellos in der Absicht, diesen Plan zu ver-
wirklichen, trat er bei Fessard ein; am unteren Rande
eines Gekreuzigten, eines kleinen Andachtsbildes à la
Pompadour, las ich von der Hand Augustins folgendes:
*Ich habe diesen Quark in der ersten Woche nach meinem
Eintritt bei Etienne Fessard im Jahre 1755 gemacht.*
Und schleunigst kehrt der junge Mann zu seiner ei-
genen Zeit zurück und wendet sich wieder den so be-
liebten Einladungskarten zu ihren Vergnügungen zu

201

und den reizenden Empfehlungskarten, womit sich damals die verschiedensten Industriezweige der Öffentlichkeit gegenüber bekannt machten. Er atmete förmlich auf, freier strömte das Blut durch seine frohe Schaffensader, und er glaubte geradezu aus schulmeisterhafter Enge herauszutreten, als er des Herrn von Caylus frostigen Zeichnungen mit den antiken Motiven den Rücken wandte. Auch er wollte lieber ein Ornamentist all jener Kleinigkeiten werden, die die Kunst für würdig hält, sich mit ihnen zu befassen, sie in ein festliches Gewand zu kleiden, die echte Kunst, die allem dienen kann, ohne herabzusteigen. Er wollte das Füllhorn und die reizende Behandlung bildlicher Darstellung auf jene vielen tausend Karten und Blätter streuen, die meist nur ein kurzes praktisches Leben und ebenso oft nur einen vorübergehenden Zweck zu erfüllen haben: auf Adressen, Einladungen, Einberufungsschreiben, öffentliche Bekanntmachungen, Festprogramme, Vermählungsanzeigen, Eintrittskarten zu großen offiziellen Bällen, auf Warenverzeichnisse und Geschäftsformulare, auf Fahrpläne der Postkutschen, auf Platzkarten zu Vergnügungen mit Feuerwerk, zu Experimenten mit dem Luftballon, auf die Amphitheaterbilletts der Comédie-Française, kurz auf alle jene Zettel, die unsere Väter mit den launigen Einfällen der berühmtesten und geschicktesten Künstler geschmückt wünschten. Eine schöne Mode, die mit Prudhon würdig ausstarb!

Die großen Meister dieser Kleinigkeiten waren Moreau, Cochin und Choffard. Choffard, der erste von

202

allen, besitzt ein wundervolles dekoratives Talent; wenn er einen Rosenstrauß in reizenden und gefälligen Anordnungen um einen Rahmen à la Louis XVI. windet, wirkt er immer neu und entzückend; er arbeitete viele geschäftliche Ankündigungen und Empfehlungen, zum Beispiel für den Goldschmied Vallayer, den Kupferstecher und Kunsthändler Aubert mit dem Schmetterling im Firmenschilde, den Buchhändler Prault auf dem Quai des Augustins, den Uhrmacher Danthiau, den ständigen Hofsticker Seiner Majestät des Königs, Balzac, er empfahl sich selbst und sein Talent mit zwei künstlerisch ausgeführten Adressen, deren eine die Rue des Francs-Bourgeois, „zwischen einem Torweg und einem Pastetenbäcker", deren andere die Rue des Cordeliers nannte, letztere in einem entzückenden Arrangement von Bändern und Schleifen und im Verein mit einem außerordentlich liebenswürdig angebrachten Gewinde von edlen Rosen, die weit geöffnet sind, wie großblättrige Malven. Choffard war auch der „Annonceur" für den Tuchhändler Remy, der sein Geschäft im Vase d'or hatte. Der Hofapotheker Cassaigne bestellte bei ihm sechzehn verschiedene Stiche, die auf die Flaschen, Büchsen, Schachteln und Glastöpfe geklebt werden und mit allerhand entzückenden Einfällen die Mischungen und Präparate dieses künstlerisch empfindenden Apothekers gefällig verkleiden sollten; und ein Apotheker aus Orleans, Fougeron, imitierte sofort den Pariser Apotheker. Selbst Tronchin bestellte bei Choffard seine Visitenkarte und seine Wappen, denn der Doktor besaß den Adel von Parma und Piacenza;

203

der Schild darauf ist umgeben von Lorbeerzweigen, Verzierungen mit dem gallischen Hahn und von Federkielen, die schon für die schwindelhaften Verordnungen des berühmten Doktors gespitzt zu sein scheinen. Der Kaufmann Paupe, der unter der Firma „Au Cordon-Bleu" ein Bandgeschäft betrieb und hauptsächlich rote und blaue Ordensbänder verkaufte, ließ seine Adressen und Briefbogen von Choffard mit einem Orden vom Heiligen Geist, wie er am Bande getragen wird, schmücken. Kurz, ein jeder wollte Choffards Talent in den Dienst eines derartigen Bilderschmucks · stellen. Alles sollte sich durch eine Augenweide ankündigen, selbst das Widerstrebende, sogar jenes neue Fontanell, eine ohne Kanthariden bereitete blasenziehende Salbe, die als „Nouvel exutoire ou pommade épispastique sans cantharides" angepriesen wurde. Fräulein Werneau, die den feinsten Siegellack, „la véritable cire d'Espagne" verkaufte, bat Choffard, das Medaillonbild des allerchristlichsten Königs Ludwigs XV. über der Anpreisung ihrer Waren anzubringen. Nicht zu vergessen die hübschen Piasterscheine der ostindischen Kompagnie! Dieses reizende Gemisch von Rokokozierat und Blumen! Wie zierlich die Lilien als Nägel in der Umrahmung verwendet sind! Und wie geschmackvoll sich die Füllhörner mit den herausrollenden Goldstücken dem Ganzen einfügen! Wenn ich nicht jenes elegant komponierte Laubwerk vorziehe, das sich um eine Balleinladung rankt und auf einer Narrenkappe und einer Maske Fuß faßt:

204

Ball
Auf Montag
Um 6 Uhr
Die Dame ohne
Reifrock.

Moreau zeichnete den Firmenschmuck für die Geschäftspapiere des Schneiders Chamot in der Rue de la Harpe. Die Amoretten, die auf der Balleinladung eines französischen Gesandten Fackeln anzünden, waren vom Maler des „Monument du costume". Von Moreau war die Adresse Fagards, des Uhrmachers in der Abtei Saint-Germain-des-Prés. Für den Bauunternehmer De La Ville zeichnete Moreau das im Bau begriffene Garde-Meuble und brachte am Gerüst zwischen den schweren Karren und den muskulösen Mörtelmaurern den Namen des Baumeisters an. Und für jene akademische Gesellschaft der „Kinder Apollos", die im Hotel Lubert tagte und ihm die Porträts mehrerer ihrer Mitglieder verdankte, zeichnete Moreau die Adresse unter einen strahlend schönen Apollokopf.

Die erste Zeichnung, die Cochin fils nach sich selbst radierte, war das für den berühmten Juwelier Stras entworfene Firmenschild. Ferner radierte er die Firma des Goldschmieds Roberdeau in Bordeaux; und bei beiden Dauphinhochzeiten, bei seiner ersten und bei seiner zweiten, beauftragte „Monseigneur le Dauphin" Meister Cochin mit der Anfertigung der Einladung zu dem großen Hofball, der in Versailles gegeben wurde; und auch für die dem Könige von „Madame la marquise de Pompadour" auf dem Theater ihrer Privatgemächer

205

bereiteten Zwischenspiele, diese sogenannten „Divertissements", mußte Cochin jenen kleinen Auftritt zeichnen, den Isabelle, Léandre und Pierrot spielten. Diese kleine, kaum drei Zoll hohe „Parade" war höchstwahrscheinlich die Eintrittskarte zu den „petits appartements". — Gravelot entwarf das Buchzeichen für den Parlamentspräsidenten HerrnThiroux d'Arconville; Eisen ließ zwischen Amoretten, Kompassen, Magnetnadeln, Erd- und Himmelskugeln und Winkelmessern die Adresse des Ingenieurs und Uhrenbauers Magny niederfallen. Und Gabriel de Saint-Aubin schmückte mit seiner feinen und phantasievollen Nadel die Adresse des Eisenhändlers Perier.

Augustin de Saint-Aubin fügte sich schnell diesem Kreise ein und eroberte sich bald seinen Platz in der vordersten Reihe. Er entwarf für Slodtz, den Festordner der „Menus Plaisirs" des Königs, unter einem idealisierten Ludwig XV., mit der Unterschrift: *Aspicit et fulgent*, die liebenswürdige Umrahmung zu einem dramatischen Spielplan, den der Hof, wenn er in Fontainebleau weilte, sich vorführen ließ. Seine Nadel schuf den ornamentalen Schmuck für das „Journal de musique" des Herrn Lagarde, der die Anwartschaft auf die Stelle eines Musiklehrers bei den königlichen Kindern hatte. Einem Apotheker in Rennes entwarf er eine Adresse mit Palmen. Der Buchhändler Quillau in der Rue Christine verdankte ihm die Zeichnung seiner Firma; der Herzog de la Rochefoucauld den wappengeschmückten Stempel seiner Bibliothek, neben dem der Stift des bibliophilen Künstlers —

206

Saint-Aubin war ein großer Bücherfreund — ein Fähn-
lein, das ein fliegender Amor trug, zeichnete, unter
Hinzufügung der Worte: *Ex libris Aug. de Saint-Aubin*.
Diese Arbeit setzte er sein ganzes Leben lang fort; im
Jahre 1788 lieferte er die Eintrittskarte für die Comédie-
Italienne.

Schon Fessard setzte fast nur noch der Form wegen
auf diese Spielereien einer bereits sehr geübten Hand
ein impertinentes *Direxit*. Augustin hatte es in diesem
Punkte seiner Kunst zu einer solchen Meisterschaft
gebracht, daß er an das untere Ende einer Vignette,
die er für des älteren Plinius Kapitel über die Malerei
radierte, die Worte schreiben konnte: *Diese Platte ist
an einem Tage begonnen und fertig gearbeitet worden.*
Sein Erfolg war vollkommen, so vollkommen, daß der
Herzog von Chevreuse, der lange ratlos war, wie er die
kleinen Schubladen einer naturhistorischen Sammlung
schmücken lassen sollte, vier kleine Friese bei ihm bestellte, die dann auf die Fächer seines auserlesenen
Möbels geklebt wurden.

Welch eine Fülle feiner Phantasie bergen auf ver-
hältnismäßig so beschränktem Raum alle diese Titel-
kupfer, die aus so und so vielen ärmlichen und billig
hergestellten Auktionskatalogen fast kostbare Bände
machen! Augustin ist für die Kunstauktionen der
Vignettist par excellence: er skizziert Gemälde, Bron-
zen, Stiche, Porzellan und alles, was in die vier Reiche
der Naturgeschichte gehört. Und welch andere Nadel
wäre imstande, so wie die seinige in einer Galerie
d'Apollon diese ganze bunte Gesellschaft zu ver-

207

sammeln, alle diese Männer und Frauen, diese *curiolets*, die mit dem Hut in der Hand die schönen und seltenen Stücke umdrängen und mit offenem Munde Bewunderung und Neugier zur Schau tragen?

Damit war Augustin reif geworden für sein Werk, um auf Bildern alles das von einem Volke zu retten, was mit ihm stirbt: das Leben; alles das von einem Jahrhundert, was der Geschichte entschlüpft: die Sitten. Ihr fein gespitzten Federn, ihr amüsanten Plauderer, all ihr Schreiber hübscher Romane, pikanter Broschüren und übermütiger Schwänke, ihr habt dem Manne und der Frau des achtzehnten Jahrhunderts weniger Unsterblichkeit verliehen als er! Hat man nicht auf jener kleinen Radierung mit dem Titel *L'indiscrétion vengée* die ganze Frau der Zeit in der reizenden Koketterie des Faltenwurfs und der leichtfüßigen Durchtriebenheit der Gebärde? Und zeigt nicht jenes Konzert.auf drei Violinen die rosige, aufblühende Jugend von damals — diese arbeitsame und singende Jugend, die ein Schoßkind des Elends und des Berufes ist, und deren ärmliche, hohle und doch glückliche Hausgötter fröhlich in lustiger italienischer Musik ertönen? Ich berühre hiermit jenes bescheidene Heim der Kunst, vielleicht ein Stübchen oder eine Bodenkammer, wo Wille und Diderot über diese Technik und jene Auffassung, über dieses und jenes System disputierten. Oder vielmehr nein; ich möchte in diesem Raum das Zimmer des Künstlers erblicken, und ich stütze meine Annahme auf Augustins Talent und auf jene Violinen, die bei seiner Auktion zum Vorschein

208

Pierre Antoine Baudouin   *Der Morgen*

kamen, besonders auf seine Cremoneser Geige! Könnten das Palais Marchand, alle Almanachs, Führer und Beschreibungen mir eine bessere Vorstellung von ihm geben als jenes reizende Firmenschild, das eine Spitzenverkäuferin auf der Türschwelle ihres Ladens zeigt mit hoher Ärmelschürze, niedriger Frisur, die schönen Arme über dem Busen gekreuzt, in der liebebedürftigen und gleichzeitig bescheidenen Stellung einer Frau Michonin, die sich in ihr Schicksal gefügt hat? Wo wäre ein zweiter Mensch zu finden, der so wie er mit ein paar Nadelstrichen die Eigenart zu erfassen und mit einem Nichts den Soldaten, den Finanzmann, den großen Herrn und alle übrigen Marionetten der Großstadt so bis ins Innerste hinzustellen vermöchte?

Und wenn er den Zeichenstift zur Hand nimmt oder mit Tusche arbeitet, kommt sofort der Maler zum Vorschein. Denn Saint-Aubin ist trotz seiner etwa zwölfhundert radierten Blätter vor allem ein Pastell- und Aquarellmaler. Er ist ein ungemein zarter und gewandter Kolorist, ein Talent mit weicher und schmeichelnder Hand, dessen galante Einfälle in einen ganz leicht rosenroten Ton getaucht sind, in jenes verwaschene Rosa, dem man auf den bleichen Nacktheiten des alten Meißner Porzellans begegnet. Er ist der Maler der Frau, ein Künstler, der den Zeichenstift mit verliebten Fingern handhabt, ein Porträtist, der sein leicht entflammtes Herz mitsprechen läßt. Hier ein Hauch Pastellkreide, dort eine Wolke Wasserfarbe, so gestaltet er diese, so gestaltet er jene, kurz, die ganze Anzahl von Frauen, die mit allen Mitteln danach gestrebt haben, von ihm gemalt zu werden; vornehme Damen, Frauen bürgerlicher Herkunft, die in der ersten Gesellschaft eine Rolle spielen, Sängerinnen und Schauspielerinnen und auf großem Fuße lebende Kokotten; sie alle leben heute noch in der Blüte und Frühlingsfrische ihres Teints, in dem berückenden Schimmer ihrer dekolletierten Reize. Keiner der Zeitgenossen hat, soviel ich weiß, die Frauenphysiognomie der Zeit so wiedergegeben wie dieser Saint-Aubin. Keiner hat die Frau des achtzehnten Jahrhunderts mit dem wollüstigen Zauber ihrer Anmut so wie er zum Ausdruck gebracht. Keiner hat sie in ihrer verführerisch sinnlichen Wirkung, in ihrem bebenden Charme, in ihrer koketten Geistigkeit, in dem Sprühfeuerwerk ihrer unsteten Blicke so erfaßt wie er ... Aber solche Dinge können nur für sich selbst sprechen. Diese Porträts Augustins de Saint-Aubin müßte man statt aller Lobreden alle zusammen öffentlich ausstellen. Man müßte die Feder beiseite legen und den Leser vor jene acht oder zehn Frauenporträts führen können, die Herr von Janzé auf der Auktion Renouard erwarb, und noch vor viele andere Blätter, die in alle vier Winde zerstreut worden sind und sich jetzt in Privatsammlungen befinden und die unser Louvre noch etwa weitere fünfzig Jahre lang verschmäht hat.

Nachdem er eine bescheidene Veröffentlichung von sechs kleinen Blättern, zweifellos von ihm selbst gezeichnet und radiert, versucht hatte, gelang es ihm 1759 sich in weiteren Kreisen bekannt zu machen. Diese sechs kleinen Radierungen Augustins de Saint-Aubin,

210

Der blonde Abbé, Die Provenzalin, Colin, Blaise, Die Obsthändlerin, Colette, sind übrigens äußerst selten und nicht in seinem Werk, das die Bibliothek besitzt, enthalten; er hat sie also nicht darin aufgenommen. Vom Hôtel de Cluny aus, wo er wohnte, brachte er geschickt eine Folge von sechs Zeichnungen, die Duclos radiert hat, unter das Publikum: *Die verschiedenen Spiele der Pariser Jugend auf der Straße.* Da sieht man den *Kreisel,* das *Murmelspiel,* das *Springseil,* das *Voltigierspiel* und die *Fröhlichkeit beim Verlassen der Schule.* Auf jedem Blatt sieht man die *petits polissons de Paris,* diese Kinder in kurzen Hosen, mit gepudertem Haar und dreieckigem Hut und dem zwischen den Schultern hin und her tanzenden Zopf. Ganz allerliebst sind diese Männer en miniature, deren einziger Fehler ist, daß sie ein wenig zu sehr an die üblichen Amoretten in Zierleisten und Vignetten erinnern. Im folgenden Jahre zaubert Saint-Aubin, den der Erfolg anspornte, ein anderes wundervolles Werk hervor: *Mes gens, ou les Commissionnaires ultramontains;* sechs Stiche dieser kerngesunden Svaoyarden mit prächtigen, blendend weißen Zähnen, die von den Damen der Hofgesellschaft für einen Louis das Stück gekauft wurden. Und um den Zug zu schließen, wollen wir den Leiermann vom Pont-Neuf[1] nennen, eine berühmte Erscheinung des Jahres 1760. Hier jedoch fühlt sich der

---

[1] Es wäre, glaube ich, nicht mehr als recht und billig, einen in diesem selben Jahre, 1760, von Fessard gearbeiteten Stich Saint-Aubin wieder zurückzugeben. Es ist eine interessante Darstellung des *Bal de Saint-Cloud* mit reichem Schmuck von Laubgewinden und bunten Laternen an den Bäumen. Schon allein die künstlerische Eigenart Saint-Aubins reizt zu der

Zeichenstift Saint-Aubins nicht wohl, er ist zum mindesten nicht in seinem Element. Es fehlt ihm das Entschlossene, die muskulöse Kontur, der vierschrötige Zug, die scharf ausgeprägte Gestaltung, mit einem Wort, die Wucht der Zeichnung, die unmittelbare Anteilnahme eines Bouchardon. Er ist, macht man einen Vergleich mit den „Cris de Paris", viel zu vertraut mit den Koketterien und Liebenswürdigkeiten der geputzten Welt; um so schlimmer für die herben Schönheiten des Volkes! Gauklerkarren, umherziehende Männer mit Murmeltieren und Bärenführer richtet er fein säuberlich her, idealisiert sie und zieht sie als fahrendes Volk aus der Heimat der zärtlichen Gefühle an.

Dieser zweite Versuch wirkte erleuchtend auf Saint-Aubin. Er erkannte, daß, wenn er als Zeichner die

Annahme, daß der unten stehende Name: *Saint-Poussin*, der Name eines ganz unbekannten Künstlers, ein Irrtum sein müsse, und diese Annahme wird dadurch bestärkt, daß man in einer Notiz auf dem Rande lesen kann, dieser Stich sei beim Stecher selbst, in der Bibliothek des Königs zu kaufen gewesen. Nun hat niemals ein Saint-Poussin eine Wohnung in der „Bibliothèque du Roi" gehabt, Saint-Aubin jedoch wohnte dort über vierzig Jahre, wie das ein weiter oben angeführter Brief bezeugt.

Wir erwähnen ferner noch aus diesem selben Jahre, wie aus einer mit *Aug. de Saint-Aubin delin. et sculps. 1760*, eigenhändig unterzeichneten Notiz der Nationalbibliothek hervorgeht, sechs Frauensujets, wovon ich niemals, auf keiner Versteigerung, einen Abzug zu Gesicht bekommen habe. Es sind ziemlich derb radierte Zeichnungen, die dann in einer Technik, ähnlich der von Leprince, mit Bister ausgetuscht worden sind. Allem Anschein nach ist diese Serie mit der später wieder aufgegebenen Absicht, damit eine Darstellung der fünf Sinne zu geben, angefangen worden.

Noch eine Platte kommt mit Recht Augustin zu. Vor dem Fenster eines Spielwarenladens treffen und begrüßen sich vornehme Damen und Kavaliere, denen ein Kolporteur und eine Straßenverkäuferin Broschüren und Orangen anbieten. Das Blatt hat, soweit ich mich erinnere, den Titel: *Le jour de l'an.*

212

Straße behandeln wollte, er ihr gegenüber den höchsten Standpunkt einnehmen, ihr die aristokratische und die herausgeputzte Seite abgewinnen müsse. Er sah ein, daß er nicht die Halle, sondern die Boulevards aufsuchen müsse, dieses Panorama der Frau, der Mode und des Vergnügens, diesen wandernden Triumph aller Pariser Sterne, Größen und Schönheiten; man bevorzugte mit der Zeit immer mehr die Boulevards und ließ die Promenade des Tuileries, die zu spießbürgerlich geworden war, nach und nach veröden. Großer Beifall wird Saint-Aubin zuteil, als er auf den Boulevards seinen Standpunkt wählt und als er die *Promenade des Remparts de Paris* und die *Portraits à la mode* veröffentlicht. Wie lebendig wirken diese beiden ,,Boulevardrevuen'' vom Temple bis zur Porte Saint-Antoine! Ich möchte wetten, es ist der auserwählte Tag, der ,,grand jour'', ein Donnerstag; auf beiden Seiten sieht man nur elegante Glaskutschen, deren Fenster jeden Augenblick zu einem Gruß heruntergelassen und wieder in die Höhe gezogen werden, und lackierte Equipagen mit Samtpolstern, Seidenfransen, Epauletten und mit großen Burschen, die man sich mietet, auf dem Bock. Man sieht einen endlosen Zug; Diligencen, auf denen Venus Aphrodite, von Amoretten umgeben, im Bilde prangt, was zuweilen etwas boshaft wirkt; und dazwischen die *allemandes* und die *sabots*, die *dormeuses*, die *vis-à-vis*, die *paresseuses* und die *diables*, die *culs-de-singe* und die flinken Kabrioletts! Kurz, ein betäubendes Durcheinander; und dieses Stimmengewirr und all das Leben und Treiben längs den Baumreihen, wo lautes Lachen

213

erschallt, Lieder gesungen werden, Wachtparaden mit klingendem Spiel aufziehen, wo ein Ausrufer seine Wachsfiguren anpreist; und die tausend rauschenden Beifallsäußerungen und die so und so vielen erstaunten Gesichtern entschlüpfenden Ohs! und Ahs! und das dumpfe Vorsichhinmurmeln der verschiedenen Zecher und die einschmeichelnden, leisen, zischenden Anpreisungen der Blumenmädchen und der kleinen Mandelkuchenhändlerinnen und das störende Gedudel nomadisierender italienischer Leierfrauen, und die tremolierenden Rufe der Taschenspieler, und das Knallen der Peitschen, und die Trompetenstöße, und die Trommelwirbel... Das ist die Welt Augustins de Saint-Aubin, das Königreich der Schleifen und Flittern, die Welt der Posamenten und der graden Tressen, der festlichen Stickereien und der Schnüre, die Welt der Puffs, der Schleier, der zart hochroten Kleider; und mehr als alles andere ist diese Welt ein öffentliches Stelldichein der *,,Angebeteten"* und der *,,Damen des feinen Tons"*. Und nun schaue man genauer hin, was sieht man da nicht alles! Schuhschnallen mit sogenannten Liebesknoten, fleischfarbene Strümpfe, kleine Felbel, Chenillebesatz, Morgenkleider und Abendtoiletten, einfachere Straßenkostüme und Besuchskleider zum Nachmittagstee, *vespérales, cafardins* und *turquoises;* Degenbänder und Quasten und Geldbörsen à la maréchale und Stickereien, die so zart die Rockschöße zieren, ,,daß sie kaum für die Augen eines Maulwurfs bemerkbar sind"; Kamisols mit Seidenspitze garniert, Kavalleristen mit weißen Federbüschen, ein

214

fortwährendes Lorgnettieren „auf Gewehrlänge und bis zum Fichu hinauf", Offiziere mit aufgezwirbelten Schnurrbärten, Vertreter der Hochfinanz mit funkelndem Rubinring am kleinen Finger und mit sogenannten Taubenflügelfrisuren, die bis auf die Schultern herab gepudert sind, Schwerenöter, „die mit ihrer goldenen Tabaksdose spielen, worauf ein Porträt prangt", Stutzer mit roten Absätzen, gebadet in Eau de Chypre und mit allen letzten Modeneuheiten von La Fresnaye ausgerüstet, und dazwischen mehrere Abbés ... Halten wir gleich diesen hier fest, er ist soeben von einem *diable* gesprungen, den er selbst lenkte, und kommt nun von der Mitte der Fahrstraße her in seidenem Mantel und mit einem Kragen aus feinem Batist, ein Apostel in blondem Haar, der seine Blicke gern auf zierlichen Frauenfüßen ruhen läßt und kokett mit einer Dame tändelt, die in ihrem bemalten und vergoldeten Wagen vorbeifährt. Und während dort eine kleine Blumenverkäuferin, die recht hohe Hacken trägt, einem verliebten Herrchen sechs Franken für das Bukett abnimmt, das sie den Damen für zwölf Sous verkauft, versäume man nicht, in dieser Ecke folgendes zu beobachten: ein Liebespärchen spricht angelegentlich miteinander; offenbar fordert er sie auf, die Champagnervapeurs vom Frühschoppen mit einer „Ratafia" in Neuilly zu verjagen.

Doch nun betrachte man vor allem jenes Leben und Treiben, das der Künstler auf der *Promenade des Remparts* geschildert hat; vor dem Café Gaussin, dem damals beliebtesten Café, das wegen seines Punsches

215

und seines Orchesters berühmt war, sitzen die Gäste
in großer Zahl an Tischen. Rechts erhebt sich das Café
mit seiner großen Glasveranda, an der sich Kletter-
pflanzen in die Höhe ranken, seiner Vorhalle, der Zuflucht der Gäste bei schlechtem Wetter, von Laternen
in Form von Fäßchen flankiert und mit einem deutlich
sprechenden Wirtshausschilde, nämlich mit dem Bild
einer Rose geschmückt. Alle Stühle sind besetzt; man
ißt und trinkt und läßt es sich wohl sein; man
neigt sich hin und her, lehnt sich im Stuhl zurück und
trifft bei der Ungezwungenheit der Stellungen alle
Mienen und Gebärden der Zeit; man kümmert sich
um die Dinge der Jugend und um alle Geschäfte des
heiteren Lebens, schlägt die Zeit tot, ohne ihr zu grollen
und läßt seinen Augen und seinem Herzen die Zügel
schießen ... Wer lauscht der Musik der kleinen
„Damenkapelle“, deren Mitglieder Häubchen tragen,
wer hört auf jene Leier, die an einem breiten blauen
Bande getragen wird, worin Mercier gern die Ordens-
schärpe einer von der Höhe der Macht herabgesunkenen
Majestät erblicken wollte? Vor den Tischen, auf dem
Bürgersteige gehen die Spaziergänger ganz sacht, mit
kleinen Schritten vorüber und werfen ihre Augen nach
rechts und nach links. An der Spitze des Zuges schwe-
ben tänzelnd und graziös die anmutigsten Grisetten
der Zeit am Arme schöner Soldaten. Mit flachem
Chignon, mit ihrem am Halse befestigten und auf der
Erde nachschleifenden Mantel, mit einem Dekolletee,
das den Busen zwei Finger breit über dem geschnürten
Mieder sehen läßt, mit einer Blume am Ausschnitt,

216

unter dem kurzen Kleide einen gefalbten Unterrock, welcher kleine, auf hohe Stöckel gesetzte Füßchen zum Vorschein kommen läßt; sie bewegen ihren Fächer am Ende ihres schönen nackten Arms, triumphierend, herausfordernd, unverschämt hübsch und frech jung, diese Töchter des Volkes, des Teufels und der Liebe! Noch einen Schritt weiter, und Saint-Aubin konnte triumphieren mit einem Meisterwerk, nein, gleich mit zwei Meisterwerken: mit dem *Concert* und dem *Bal Paré*[1]). Die Welt des achtzehnten Jahrhunderts hat ihren Maler, ihren Geschichtsschreiber, den Mann gefunden, der ihre unsterblichen Reize galant umworben und ein umfassendes Bekenntnis davon im Bilde niedergelegt hat. Die Vorsehung muß in der Tat dafür gepriesen werden, daß sie jedem Zeitalter menschlicher Entwicklung, allen körperlichen und geistigen Wiedergeburten eines Volkes einen Künstler schenkt, den sie geprägt, bestimmt, prädestiniert zu haben scheint, durch die Art seiner Begabung Ton und Wesen, Blüte und Akzent, Abbild und Glanz dieser Epoche wiederzugeben; — große Maler, die Träger ihrer Zeit sind: Abraham Bosse, Augustin de Saint-Aubin, Gavarni!

---

[1]) Diese beiden Zeichnungen Augustins de Saint-Aubin sind von Duclos wundervoll gestochen worden; den Stich des *Bal paré* widmete er Herrn von Villemorien Sohn, den Stich des *Concert* der Gräfin Saint-Brisson.

Die Zeichnungen waren im Salon 1773 unter Nr. 29 ausgestellt. Die Zeichnungen, die Augustin de Saint-Aubin in den Salons von 1775, 1777, 1783 und 1789 ausstellte, setzten sich zusammen aus Porträts, Medaillons, Kopfstudien, weiblichen Halbfiguren; es waren entweder Bleistiftzeichnungen oder Kreidezeichnungen mit wenigen farbigen Pastellstrichen; es befanden sich auch Zeichnungen nach geschnittenen Steinen in chinesischer Tusche, Bister und Rötel darunter.

217

Damals war die Welt ein Salon: es ist Sommerzeit, die Stunde nach dem Diner; man sieht einen runden Salon, dessen Plafond ein Maler mit der Darstellung eines Himmels geschmückt hat, eines entzückenden Himmels, wo alles, was sich dem Firmament anvertraut, — Seufzer und Erinnerungen — nur Blumen und Liebesspielen begegnet. Über den Fenstern findet die Musik in allerhand Trophäen einen sinnbildlichen Ausdruck, und seidene Vorhänge „à tête bretonne", die nicht zur Seite gezogen sind, sondern gerade, wie Stores, herunterhängen, lassen durch ihre Falten und Falbeln die Heiterkeit eines wunderschönen Tages in den Saal fluten. Zwischen den Pilastern sind Büsten von Göttinnen der Musik angebracht; lächelnde Göttinnen mit Blumen und Efeu gekrönt, mit nacktem oder halbverhülltem Busen. Und in einem Kreise gewahrt man auf dem schwarz und weiß getäfelten Fußboden reizende kleine Schuhe mit hohen Stöckeln und auf den vergoldeten, rund geformten Möbeln hier und dort Reifröcke und Rockschöße; die schöne Gesellschaft lauscht einem klangreichen Spinett, das im Schmuck der anmutigen Phantasien irgendeines· Gillot prangt. Sie lauscht einer Komposition von Herrn von Laborde, vielleicht jener Auswahl von Chansons, die auf dem Titelblatt eine Lyra zwischen Lilien und Rosen zeigt. Welch köstlicher Augenblick! wie jedermann die gegenwärtige Stunde genießt! Diese Blumensträuße und Bandschleifen! diese Perlen am Halse, und dies Flüstern am Ohr! Die Harfe schweigt. Die Tasten des Klaviers ertönen unter den Fingern der

218

entzückendsten Frau. Rechts neben ihr singt ein hübsches junges Mädchen und bewegt einen Fächer hin und her. Und hübsche Männer bilden einen Kreis um sie; sie sitzen oder stehen und entlocken einem Baß dumpfe Klagelaute, einer Violine helle Triller, einer Flöte bittende Klänge; oder sie haben sich vorgebeugt und sind eifrig bemüht, die Blätter der Partitur umzuwenden. Das ist das Bild des Sommers in diesem Paradiese.

Der Winter sieht anders aus. Man hat sich in einem viereckigen Salon versammelt. Wandfüllungen mit viel skulpturalem Schmuck und überall Salon- und Pfeilerspiegel. In reich geschweiften Rokokorosetten hängen fünf Kronleuchter aus böhmischem Kristall und verbreiten ein wundervoll warmes Kerzenlicht. Die Arme und die Lichter verdoppeln durch ihr Bild in den Spiegeln die Wirkung. Inmitten eines Spiegels schlägt eine Uhr, aber man hört sie nicht. Ein Orchester auf einer an der Seite errichteten Tribüne übertönt den Ruf der Zeit. Im Hintergrunde summt das Geplauder wie eine Biene. Die Diamanten blitzen im Haar der Schönen, die Kinder spielen mit Orangen, die Augen erglänzen in frohem Lächeln. In der Mitte des Salons, im hellsten Lichte, auf dem mit bunten Hölzern parkettierten Fußboden, der unter den Rhythmen des Tanzes erzittert, reizen vier Paare in lebhafter Bewegung die Aufmerksamkeit des Beschauers. Die Perückenschleife trifft fortwährend den Rockkragen. Die Kolliers am Halse der Damen fliegen von rechts nach links und von links nach rechts, und der Putz

219

der Kleider huscht über die Röcke. Einer der Tänzer in einem hellen mit Litzen und besonders an den Aufschlägen reich mit Pelzwerk verbrämten Rock schaut seiner Schönen ins Auge, ergreift ihre hocherhobene Hand und läßt die Holde unter der Liebesbrücke seines Armes hindurchgleiten. Ein anderer brüstet sich mit einer steifen, unnahbaren Grazie, hat mit seinen Fingern soeben die Finger seiner Tänzerin gefaßt und läßt sie sich einmal um sich selbst drehen, wobei sie ihm näher kommt; während zwei andere Paare, obgleich sie Rücken an Rücken stehen, sich über die Schulter anschauen, sich ineinander schlingen und mit ihren nach rückwärts gehaltenen Händen eine Kette bilden ... Man tanzt die Allemande, und zwar nach der Vorschrift des Herrn Dubois von der Oper. Vorn sieht man schöne Frauen in ihren Pelzen, die soeben angelangt sind und von alten Freunden mit schweren goldenen Uhrketten hereingeführt werden; auf diesem und jenem Sessel bemerkt man Mäntel, die die Tanzenden abgelegt haben; im Hintergrunde ein paar Mütter, die zuschauen und applaudieren; hier wendet sich das Gesichtchen einer jungen Frau der Unterhaltung mehrerer Männer zu; dort wird eine Dame zum Büfett geführt, das durch die Tür seinen Rosenschmuck, in Pyramiden aufgebaute Früchte, altdeutsches Tafelgeschirr und mit Blumen garnierte Meißner Platten zeigt. Keine Spur von Stoßen und Drängen; vor einem kleinem Kreise von lieben Freunden tanzt die Jugend einen graziösen, für je vier Paare bestimmten Tanz, man freut sich des Wieder-

220

sehens und grüßt mit liebenswürdigem Kopfnicken im Salon hinüber und herüber. Nicht die Spur von Lärm in diesen Äußerungen der Freude: das Vergnügen hat hier den Charakter eines Familienfestes. Bei diesen heiteren gesellschaftlichen Unterhaltungen herrscht von Anfang bis zu Ende ein Wiegen in Ruhe, ein Friede und eine Harmonie, eben die Harmonie dieser Welt, die auf der Höhe ihres Ranges zu bleiben versteht, die glückliche Einrichtung dieser Gesellschaft ohne jeden Wirrwarr, wo jeder einen bestimmten Platz, und zwar den ihm gebührenden Platz inne hatte.

Wahrlich, ein seltenes Talent, das so viele verschiedene Dinge zu schildern vermocht hat! Und wie groß muß uns die Gunst des Glücks erscheinen, daß es gerade diesem Künstler vergönnt war, Frankreichs Physiognomie festhalten zu können mit all ihrer Anmut, mit ihrem größten Reiz, just in jenem Augenblick ihrer jahrhundertelangen Entwicklung, wo sie unbestritten das charmante Völkchen par excellence in der Welt vertrat! Und wie verdient muß uns das Schicksal erscheinen, daß für die trockenen Pinsel eines Lavreince nur jene eisigen und starren Salons übrig geblieben sind, Salons, wo nüchterne Formen herrschten, wo Necker tonangebend war und wo man das Ohr schon der Zukunft entgegenneigte: die Salons Ludwigs XVI.!

Augustin war ein glücklicher Mann. Dieser fleißige Arbeiter war ein sehr hübscher Bursche, einer jener liebenswürdigen Vertreter seines Geschlechts, deren Gesichtszügen der Puder damals etwas eigenartig

221

Blühendes, Pikantes, Weibliches und Eigenwilliges, etwas sanft Wollüstiges verlieh; kurz, er war ein so hübscher Bursche, daß diese Tatsache in nicht geringem Maße ihm dazu verhalf, der Gatte einer sehr hübschen Frau zu werden.

Der alte Augustin schenkte seinem Freunde Renouard eine Zeichnung seiner koketten zierlichen Figur, die er im Jahre 1764 gearbeitet hatte. Da es sich jedoch um einen Maler handelt, der kein radiertes Selbstporträt aufzuweisen hat, so möchten wir gern zunächst ein Porträt erwähnen, das allerdings nicht von seiner Hand, aber doch immerhin von der Hand seines Bruders Gabriel herrührt und aus dem Jahre 1747 stammt. Augustin de Saint-Aubin war damals elf Jahre alt; er schlief, während sein Bruder ihn zeichnete, jenen ehrlichen Kinderschlaf, der ihm vergönnte, auf einem Sessel ohne Lehne mit lässig herunterhängenden Beinen zu schlummern; der Kopf, den ein baumwollnes Nachtmützchen bis an die Ohren bedeckt, hat sich auf die Brust gesenkt, und ein paar Locken schauen wie aufgescheucht unter der Mütze hervor: *ecco il bambino.* Seine fleischigen Kinderhändchen, die aus den breiten Falten eines Anzugs à la Chardin zum Vorschein kommen, ballen sich auf der Brust zusammen und legen sich unter den Verschnürungen übereinander. Aus seiner kurzen Hose ragen zwei kleine Beine zur Erde, deren runde Waden sich an die geschweiften Füße des Sessels drücken. Er schläft: aber trotzdem deuten die der Mütze entschlüpften Locken, die schöne Lage der großen geschlossenen

222

Augen, die zierlich aufgewippte Nasenspitze, der schön geschwungene Mund und das außerordentlich zarte, ebenmäßige Oval den zukünftigen hübschen Menschen unverkennbar an und versprechen einen „deliziösen" Mann, einen Mann zum Anbeißen, wie die Frauen der Zeit gern sagten. Und zu einem solchen Manne hat sich das Kind tatsächlich und vollkommen entwickelt im Jahre 1764, dem Jahre seiner Verheiratung. Er zählt achtundzwanzig Jahre. Aber wer möchte ihn für so alt halten? Er hat ein ganz junges Aussehen unter dieser bequemen Morgenfrisur, unter den nur leicht durchgekämmten und wenig gepuderten Haaren, die wie ein Frauenchignon aufwärts gerichtet sind. Etwas Bister, ein paar Federstriche, und die Wirkung ist erreicht: da sitzt er auf einem Stuhl, hält die Füße auf einer Gitterstange, hat die Knie hochgezogen und einen Karton darauf gelegt; die rechte, mit dem Bleistift bewaffnete Hand bewegt sich in der Luft und scheint etwas abzumessen; das Auge schaut geradeaus und will die Richtung vom Bleistift zum Modell einschlagen. Das Auge ist eine einzige Flamme. Und wie allerliebst wirken die kleine Stülpnase, der kleine Mund und das kleine runde Kinderkinn! Welch liebreizender Kopf, mit dem seine Umgebung so vortrefflich harmoniert; die nachlässig gebundene und zusammengerollte Krawatte, der in Unordnung geratene Rock und der Hintergrund, von dem er sich abhebt: dieser Aufbewahrungsort einer ziemlich lockeren Mythologie, die zur Hälfte unter einem Stück Leinwand verborgen ist und der geistige Horizont des etwas freien

223

Malers des *Premier occupant* gewesen zu sein scheint. Dieses Porträt sagt alles, es verrät auch, warum Fräulein Louise-Nicole Godeau sich verheiratet hat. Die Vorsehung würde wahrlich wenig guten Geschmack bewiesen haben, wenn sie diese Heirat, die charmanteste aller Konvenienzheiraten, nicht hätte zustande kommen lassen: sie war als Mädchen ebenso schön wie er als Mann, und dabei lustig und fröhlich. Die Maler hatten damals eine hübsche Gewohnheit, die Gewohnheit, ihre Frau, wenn sie nicht häßlich war, unter dem Deckmantel einer Allegorie oder eines Titels zu malen. Auf diese Weise ist uns das Porträt der Frau Greuze in jenem Bilde ihres Gatten, das „Die schlafende Philosophie" heißt, beschert worden. Auch Frau von Saint-Aubin besitzen wir unter dem falschen Titel einer Baronin oder einer Marquise, wir besitzen sie in allen möglichen Zusammenstellungen, wo sie ihrem verliebten Gatten als Modell dient. So begegnet man Louise-Nicole auf folgenden beiden Stichen, auf dem *Au moins soyez discret!* und auf dem *Hommage réciproque.* Auf diesem Blatt, das heißt auf der farbigen Radierung, haben wir besonders schön ihr feines Profil, ihr dunkles Auge, ihre schwarzen Brauen und schwarzen Wimpern, ihre herrlichen, blonden, kunstvoll gekräuselten Haare, die in großen Locken auf ihren Hals fallen, eine Frisur, die man damals *flambeau d'amour* nannte. Und unter einem Fichu mit Rüschen erscheint der entzückendste Busen; und diese wundervollen Arme und Hände! Mit einem Wort, ein anbetungswürdiges Geschöpf, das das Schönheitsideal

224

Pierre Antoine Baudouin   *Die Abendtoilette*

des achtzehnten Jahrhunderts in Vollendung verkörpert mit seiner zarten und doch gleichzeitig pikanten Schönheit, seinem liebenswürdigen, lachenden Charme, mit diesem ganz matt rosa leuchtenden Fleisch, das niemals die Sonne auf dem Lande verbrannt zu haben scheint. Die Ehe tat dem Schaffensschwung Saint-Aubins keinen Eintrag. Die Zukunft von vier Kindern, die bald nacheinander geboren wurden, aber nicht am Leben bleiben sollten, spornte ihn unausgesetzt zur Arbeit an. Nachdem er bei Cars genügend in die Lehre gegangen und seine Ausbildung als Radierer und Stecher glücklich beendet war, führte Augustin de Saint-Aubin, nun Mitglied der Akademie, seine Nadel von Boucher zu Greuze, von Leprince zu Restout, von Cochin zu Moreau und von Moreau zu Fragonard, ohne deshalb die Stellung eines Stechers an der Bibliothek, die ihm der Abbé Barthélemy verschafft hatte, zu vernachlässigen; er erfüllte alle Anforderungen und radierte Antiquitäten über Antiquitäten und geschnittene Steine über geschnittene Steine. Er wagte sich sogar an den Stich großen Stils, an eine Wiedergabe der Leda von Paolo Veronese: und Diderot beglückwünschte ihn zu seinem schönen Stich der Venus Anadyomene. Das meiste Glück jedoch brachte ihm der Stich aller jener lebendigen und toten geschichtlichen Gestalten, jene lange Reihe von Homer bis Necker. Persönlichkeiten aller Zeiten und Stände, Männer des Altertums, der Renaissance, des Jahrhunderts Ludwigs XIV. und seines Jahrhunderts,

Könige, Heerführer, Dichter, Maler, Gelehrte, königliche Maitressen, Prediger, Bildhauer, Musiker, alle bedeutenden Leute, alle ruhmgekrönten Häupter geraten unter seine Nadel, die das Geld der Verleger beschwingt, und die spielend leicht mit der Zeit, der Arbeit und der Eile fertig zu werden versteht. Herr de la Live, der die Gesandten bei Hofe einführte, der große Kunstfreund und Sammler, hatte die Idee, fünfzig Porträts von hervorragenden Vertretern der Zeit Ludwigs XIV. zu radieren. Er wollte einen Text damit verbinden, der gleichsam eine Ergänzung zu den berühmten Männern von Perrault gewesen wäre. Aber de la Live besaß nur das Talent eines Dilettanten, das folglich allein kaum schöpferisch sein konnte. Da sollte ihm nun ein mit der Technik des Stechens vertrauter Mann helfen; zunächst wandte er sich an einen gewissen Charpentier. Dieser Charpentier entpuppte sich aber als ein so schlechter Stecher, daß de la Live schleunigst seine Zuflucht zu Saint-Aubin nahm, der vortrefflich und höchst geschickt fast alle Köpfe auskratzte und sie „im Stil des Erfinders" überarbeitete. De la Live hatte des Künstlers Hilfe zweifellos in einer seiner Freigebigkeit und dem Talent Saint-Aubins würdigen Weise bezahlt, nun wollte Saint-Aubin ihm dafür danken. Er radierte ein sehr schönes Blatt, Frau von Létine, die Schwiegermutter de la Live de Jullys. Dieses Porträt ist in der Tat ein Wunder; auf diesem Gesicht, das ein Häubchen aus breiten Spitzen krönt, leuchtet die heitere Stimmung und Herzensgüte des Alters, die zerknitterten Bindebänder verschwinden

226

fast im Pelzwerk, und in den sprechenden Augen glänzt ein Lächeln, das sich um den schweigenden Mund fortsetzt: ein entzückendes Kleinod, worin sich die Sicherheit der Linie eines Mellan mit der Kühnheit eines Fragonard vermählt — ein bewunderungswürdig glücklicher Wurf, der Saint-Aubin fast genau ebenso noch einmal gelang in dem Gegenstück zu diesem Porträt der Frau von Létine, in dem Porträt des Herrn von Laborde. Es ist kaum nötig hinzuzufügen, daß das Geschenk ein vollkommenes war: die beiden Porträts erhielten vom Künstler die Signatur: la Live. Wer aber hat wohl an sie geglaubt?

Warum hatten sich die Radiernadel und besonders die Schneidenadel Saint-Aubins, diese Rivalin seiner Zeichenstifte, nicht ganz und gar der Frau gewidmet! Was sie geschaffen, was sie der Nachwelt gerettet haben würden, das läßt sich ahnen, wenn man jenen liebenswürdigen Kopf, den einige für Frau von Boufflers halten, betrachtet und die kleine Radierung der Prinzessin von Montbarrey, das Porträt der Baronin von Rebecque und viele andere, das der Frau von Étioles, der Frau Heinecken, der Frau Le Coulteux de Moley, jener schönen Frau, welche Delille in ihrem Hause zu Malmaison den Plan zu seinem schönen Gedicht *Jardins* eingab. Diese letzten drei Bilder muß man in jener Sammlung von Profilen, die Cochin von seinem Jahrhundert zusammenzustellen versuchte, aufstöbern. Dort stecken sie, verloren, sozusagen vergraben in der großen Menge berühmter Zeitgenossen, von denen Saint-Aubin einige gezeichnet und viele, viele gestochen

15*

227

hat mit dem redlichsten Bemühen, die Einförmigkeit aller dieser von der Seite geschauten Gesichter — eine Anordnung, die vielleicht den intimen Silhouetten des Carmontelle ihre Entstehung verdankt — so anmutig und so verschieden wie möglich zu gestalten; immer wirkt er geschickt, gefällig, hervorstechend, seine Linie ist sogar noch an der Perücke der Leute originell und geistreich, zwar ein wenig hastig, locker, seiner nicht ganz würdig, aber immer entschuldigt und gerettet durch die Gewandtheit, die Leichtigkeit, die Lichtbehandlung und die blitzartige Ähnlichkeit.

Saint-Aubins Arbeitsanteil an diesem Werke ist riesengroß, so daß man annehmen möchte, er wäre nur damit beschäftigt und ganz davon in Anspruch genommen gewesen. Aber das war keineswegs der Fall. Recht oft wurde er mit Bitten belästigt, deren Erfüllung ihn davon abzog, ohne daß er jedoch etwas dabei verdiente. Und der unermüdliche Künstler brachte es nicht fertig, etwas abzuschlagen. Bald war es das Porträt einer hübschen Frau, bald das eines einflußreichen Protektors, das seine Nadel oder sein Zeichenstift neben der gewöhnlichen täglichen Arbeit schuf. So hat Saint-Aubin auf dem in seinem Gesamtwerke enthaltenen Exemplar eines höchst lebendigen und feinen Medaillonbildes des Herrn von Saint-Florentin folgende Worte mit Bleistift unten an den Rand geschrieben: *Ich habe dieses Porträt für den Abbé Langeac gemacht, auf dessen Wunsch ich seinerzeit alles beiseite legen mußte, um ihn in vier Tagen zu befriedigen. Man könnte mit Recht annehmen, daß er mich für mein*

228

Opfer entsprechend bezahlt hätte, ich habe jedoch niemals
auch nur einen einzigen Sou von Abbé Langeac erhalten,
obgleich er oft mein Talent beschäftigt hat. Jetzt, wo er
reich ist, sollte eigentlich der Chevalier die Schulden des
Abbé abtragen.

Und dann kam die Revolution, die alles umge-
staltete und über den Haufen warf, nichts jedoch mehr
veränderte als den Stich und die Zeichnung des Künstlers Saint-Aubin. Der überraschende Sturm spielte
den armen kleinen Poeten übel mit. Parny verbirgt
sich im Dunkel einer Schreibstube; und was wird aus
dem Schöpfer des *Concert* und des *Bal paré?* Ein fast
bis zur Unkenntlichkeit Verwandelter. Dieser andere
Verdächtige ist nicht minder tief gefallen: er muß arbeiten, um das tägliche Brot zu verdienen. Die weiblichen Gestalten mit der Wage des Kassationstribunals,
die Lorbeerblätter auf den Legitimationskarten der
„Bürger", die strahlenförmigen Blitze auf den Verordnungen der „Gesetzbücher", die griechischen Göttinnen
auf den anfeuernden, nationalen Entschädigungs-
dekreten beschäftigen ihn jetzt und lassen ihn sein
Leben fristen[1]), in knappen Verhältnissen jedoch und
mit einer Bezahlung, die seine Mühe kaum besser belohnt, als einst Herr von Saint-Florentin. Er sticht,

---

[1]) Nur auf gut Glück wagt er sich noch ab und zu an monarchische
Kunst heran. Und in einem vom 18. Februar 1792 datierenden, an den Buchhändler Tilliard gerichteten Brief schreibt er: „Ich schicke Ihnen hier den
Probedruck einer kleinen Platte, die ich soeben beendet habe. Ich glaube
nicht, daß man mich der Speichelleckerei zeihen kann, denn es herrschen
so viele ungerechte und lächerliche Vorurteile gegen alles, was von der
Monarchie kommt, daß ich fürchten muß, nicht viel zu verkaufen, obgleich
ich nur Tatsächliches schildere."

229

was man will und auch noch Porträts, aber lediglich um Geld zu verdienen, in Hast und Eile, ohne sich darum zu sorgen, ob etwas Gutes zustande kommt, nur bestrebt, mit seinem gesunkenen Namen im alltäglichen Handel noch etwas zu erreichen, wie das folgender, an den Stecher Tilliard adressierter Brief beweist:

„Paris, den 17. Juni 1790.

Von heute an also, lieber Freund, nehmen wir gemeinsam eine stattliche Reihenfolge von Platten in Angriff. Wie Sie sich erinnern werden, sind wir einig geworden, daß wir sehr gut etwa eine Platte mit vier Köpfen usw. täglich arbeiten können, wenn wir einander beistehen; aber wir müssen uns doch wohl vornehmen, nicht dabei stehen zu bleiben; in den ersten Monaten hauptsächlich dürfen wir auf nichts anderes Rücksicht nehmen, als hiermit so schnell wie möglich vorwärts zu kommen; wir müssen alles so gut einteilen, daß wir uns sämtlicher verfügbaren Arme bedienen können, ohne der Sorgfalt der Ausführung zu schaden und ohne daß sie einander schaden. Präparieren Sie möglichst viele Platten, und schicken Sie sie mir nach und nach; von meiner Seite wird, wie ich hoffe, keine Verzögerung zu fürchten sein.

Damit Sie nicht unnütz Zeit verlieren, erscheint es mir als das Beste, wenn die Herren Varin die Vorarbeiten zum Stich bei sich selbst machten; es handelt sich nur darum, immer für Vorrat zu sorgen, damit ihnen niemals die Platten fehlen; wie denken Sie darüber? Wenn die Kupferplatten nackt sind, muß man

230

sic sich merken. Alles übrige kann bei Ihnen oder bei mir gemacht werden.

Von heute bis zum dreißigsten des Monats müssen wir mindestens fünfundzwanzig Platten mit je zwei Köpfen fix und fertig gearbeitet haben; Sie sehen also, wie wir uns eilen müssen.

Leben Sie wohl, ich zähle auf Ihre eifrige Mitwirkung, teils wegen der Verbindlichkeiten, die ich übernommen habe, teils weil dieses Unternehmen die ganze Nation interessiert.

Ich bin von ganzem Herzen Ihr ergebenster Diener und Freund *de Saint-Aubin.*

Ich schicke Ihnen anbei eine Platte, die im wesentlichen als vollendet anzusehen ist, sie muß nur, natürlich an der Hand des Probedrucks, noch einmal geprüft werden; erledigen Sie bitte die Angelegenheit so schnell wie möglich.''

Die Zeiten werden hart, die Arbeit wird selten, die Bezahlung gering. Renouard[1]) erscheint ihm mit dem Auftrage der Porträts für seine Neudrucke der Klassiker wie ein Abgesandter der Vorsehung. Doch wie soll er davon leben? Denn plötzlich ist alles, was zum Lebensunterhalt gehört, sinnlos teuer geworden, und der Verdienst vermag kaum mit den tollen Ausgaben gleichen Schritt zu halten:

„Lieber Mitbürger, ich danke Ihnen für Ihre Aufmerksamkeit; aber ich wünschte, daß mir das Vergnügen

---

[1]) Ein seltenes Blatt Saint-Aubins beweist seine Dankbarkeit für Renouard: es ist die Familie Renouards, fünf Köpfe, ohne Hintergrund, eine köstliche, außerordentlich feine Arbeit seiner müden, abgehetzten Nadel.

231

zuteil geworden wäre, Sie persönlich zu sprechen, um
Sie darauf aufmerksam machen zu können, daß es ganz
unmöglich ist, unsere ehemaligen Abmachungen in bezug
auf die Preise weiterhin gelten zu lassen. Ich habe sechs
Wochen zur Herstellung Ihres kleinen Porträts gebraucht,
und meine Köchin hat in zehn Tagen mehr als sechs-
hundert Livres ausgegeben. Sie werden einsehen, daß
der Preis, den Sie mir geboten haben, unannehmbar ist.
Ich will nicht etwa das Zehn- oder Zwölffache verlangen,
auch nicht einen Preis, der der gegenwärtigen Teuerung
entspricht, aber das Dreifache kann man wohl mit gutem
Gewissen beanspruchen; so hoffe ich denn, daß, wenn Sie
mir das Vergnügen machen wollen, mich zu besuchen,
für uns beide alles nach Wunsch gehen wird.
Ich grüße Sie von ganzem Herzen.

Ihr Mitbürger
Saint-Aubin.

Verwünschtes Geld! Es war damals etwas Seltenes;
immer das tägliche Brot zu haben, war schon nicht
leicht; aber nun erst der ganze Lebensunterhalt und
die Miete! Augustin hatte das Versprechen des
Ministers Paré, wonach er bei nächster Gelegenheit eine
Wohnung in den Galeries du Louvre erhalten sollte;
aber diese versprochene Wohnung war schon weg-
geschnappt worden von Leuten, die es verstanden
hatten, sich eifriger als Augustin um sie zu bewerben;
und während er sich mit dem Wort des Ministers in
einem Winkel der Rue des Prouvaires ganz sicher
wähnte, wurde ihm sein Atelier auf der früheren
königlichen Bibliothek entzogen. Unter diesem Schlage

232

brach der Greis zusammen, und eine jammervolle Klage über alle Miseren des Alters entschlüpfte seiner Hand:

„Bürger Minister!

Im Jahre 1777 bin ich zum Zeichner und Stecher an der jetzigen Nationalbibliothek ernannt worden. Diese Stellung ist durchaus ehrenamtlich; es ist damit niemals eine Nebeneinnahme oder sonst irgendein pekuniärer Vorteil verknüpft gewesen, es sei denn, daß man hierunter die kostenfreie Überlassung eines Raumes verstünde, der als Atelier dienen soll, jedoch so ungesund ist, daß man ihn nur mit großen Kosten bewohnbar machen kann, und in der Tat habe ich zu verschiedenen Zeiten viel Geld hineingesteckt, ohne daß mir die Stellung jemals auch nur einen Taler eingebracht hätte. Jetzt entzieht man mir diesen Raum, dessen man, wie man sagt, für die in der Verwaltung der Bibliothek getroffenen neuen Maßnahmen bedarf; und diese Tatsache gestattet auch keinen Einwand, denn das öffentliche Wohl geht über alles; ich würde mich jedoch in äußerster Verlegenheit befinden, wenn ich diesen Raum hergeben müßte, ohne einen anderen dafür zu bekommen, wo ich alles, was sich dort in einer so langen Zeit angehäuft hat, aufbewahren könnte.

Seit mehr als zehn Jahren ist mir eine Wohnung in den Galeries du Louvre versprochen worden; ich habe über diesen Punkt mehrere Anwartschaftsbriefe verschiedener Minister, und ich bitte darum, mir zu erlauben, sie Ihnen vorlegen zu dürfen; da man mich

233

jedoch niemals zu rechter Zeit benachrichtigt hat und meine schlechte Gesundheit mir nicht erlaubte, die entsprechenden Schritte zu unternehmen, ist mir bis heute immer noch nichts bewilligt worden; alle meine jüngeren Kollegen, die geschäftiger und augenscheinlich auch verdienstvoller sind als ich, haben in dieser Beziehung eine schätzenswerte Berücksichtigung erfahren.

Bürger Minister, gerade in diesem Augenblicke zwingt mich ein doppelter Grund, Zuflucht zu nehmen zu Ihrer Gerechtigkeit und Güte: Sie wissen, wie sehr seit sechs Jahren die Künstler zu leiden gehabt haben, besonders jene, die sich gleich mir kein Vermögen erworben hatten: sie mußten die größten Opfer bringen, um die öffentlichen Abgaben bestreiten und anständig leben zu können, heute, wo im Grunde genommen das Geld knapper ist als jemals, obgleich es aussieht, als ob es wieder etwas mehr zum Vorschein käme; die Hausbesitzer steigern ihre Mieten, das Gesetz gibt ihnen förmlich die Berechtigung dazu, und für die echten Künstler, die von der Wirkung eines repräsentativen Erkennungszeichens und von den Vorteilen dessen, was man so unrichtig den Handel genannt hat, nichts profitiert haben, ist diese Tatsache sicher die verdrießlichste. Demnach werden Sie einsehen, wie dringend nötig es für mich ist, so schnell als möglich eine Wohnung zu erhalten, die mich von der Verfolgung eines Hausbesitzers befreit, der um so unerbittlicher vorgeht, als er selbst lange zu leiden gehabt hat.

234

Bürger Minister, gestatten Sie mir also, daß ich Sie inständig bitte, mein Anliegen zu berücksichtigen. Wenn vierzig Jahre mühevoller künstlerischer Tätigkeit, eine tadellose Lebensführung, eine unwandelbare Treue zur Stadtverwaltung und zur Regierung verdienstvolle Eigenschaften sind, die für mich sprechen können, so glaube ich, sie zu besitzen. Wenn Sie es wünschen, bin ich gern bereit, Ihnen einzelne Proben der Arbeiten vorzulegen, die ich gemacht oder bei denen ich mitgeholfen habe, sowohl unter der alten als auch unter der neuen Regierung. Ich weiß wohl, daß man seit einiger Zeit besonders der Kunst des Stechens wenig Bedeutung beilegt, dieser jüngeren Schwester der Malerei, die ihrer älteren oft so vortreffliche Dienste geleistet hat; bei der Organisation des ,,Institut national des sciences et des arts'' hat man nichts, gar nichts für sie getan. Diese kränkende Nichtachtung rührt von falschen Ideen und Vorurteilen her, die man mit einer wirklich originellen und nützlichen Kunst verbindet; um sie gediegen auszuüben, sind dieselben Studien erforderlich, die der Maler machen muß, wenn er die Technik seiner Kunst beherrschen will, und die Regierung sollte es nicht unterlassen, sich für sie zu interessieren, wäre es auch nur vom politischen und kommerziellen Gesichtspunkte aus. Ich bin weit entfernt davon, diese Nichtachtung einem einsichtsvollen und wohl unterrichteten Minister in die Schuhe zu schieben, einem Manne, den die öffentliche Meinung als einen Freund der Künste und der Künstler bezeichnet, und der den Wunsch hat, sie mit allen ihm zur Verfügung stehenden Mitteln zu fördern.

235

Ich werde hart bedrängt; mir müßte schleunigst Hilfe und Erleichterung zuteil werden, die mich der Verpflichtung entheben, den teuren Mietzins zu bezahlen; trotzdem, Bürger Minister, beschränke ich mich darauf, Sie nur um einen Anwartschaftsbrief auf die erste in den Galeries du Louvre freiwerdende Wohnung zu bitten; ich habe mein ganzes Leben lang unentwegt nur in der Hoffnung gearbeitet, eines Tages diese Belohnung zu erhalten, die mir seit so langer Zeit versprochen worden ist, die ich als die schmeichelhafteste betrachte, deren ein Künstler teilhaftig werden kann, und die mir unter den gegenwärtigen Umständen so unendlich, ich möchte fast sagen, so absolut nötig wäre.

Im Augenblick, wo ich dieses Gesuch beende, erhalte ich vom Aufsichtsrat der Nationalbibliothek einen Befehl, der es mir zur Pflicht macht, unverzüglich jenes Gelaß zu räumen, das mir seit vierzig Jahren zur Verfügung steht und das die Gewohnheit mich unendlich schwer abtreten läßt, obgleich es mir niemals irgendeinen Vorteil eingebracht hat. Was mich jedoch in unmittelbare Verzweiflung versetzt, ist, daß ich einerseits keinen Raum habe, wo ich alles, was jenes Gelaß enthält, aufbewahren könnte und daß anderseits meine schwache Gesundheit mir nicht erlaubt, mich viel im Freien zu bewegen, zu dieser Jahreszeit, die mir im höchsten Grade schädlich ist, so daß ich Gefahr laufen könnte, mein Leben aufs Spiel zu setzen. Helfen Sie mir, Bürger Minister, Sie sehen meine bedrängte Lage, lassen Sie mir vorläufig

236

irgendeinen Raum anweisen, worin ich meine Sachen unterbringen könnte, und ich verpflichte mich, ihn wiederzugeben im Augenblick, wo mir die Wohnung bewilligt wird, um die ich in diesem Gesuch gebeten habe.

Saint-Aubin."

Seine Bitte wurde nicht erfüllt, und er erneuerte sie von Jahr zu Jahr ohne besseren Erfolg.

Ein trauriges Ende! Keine Ruhe, keine Zuflucht war dem armen Arbeiter vergönnt, der fast bis zum letzten Augenblick hin und her getrieben werden und mit der Radiernadel in der Hand sterben sollte. Er ist schwach und krank; sowie es kalt wird, beschränkt ihn der Winter auf sein Zimmer und nagelt ihn in seinen vier Wänden sozusagen fest. Er kann sich nicht einmal zu Renouard schleppen, um sein Geld zu kassieren. Dennoch plagt er sich im Schweiße seines Angesichts Tag und Nacht, braucht seine Kräfte auf und schindet und hetzt sein Talent zu Tode, das immer weniger wird und langsam erlischt wie sein Meister. Gleichgültig eilt seine Hand von Profil zu Profil, von Diderot zu Julius Cäsar, von Cicero zu Peter dem Großen und von Peter dem Großen zu Hamilton. Das Elend fällt über das kleine Museum des Künstlers her, und seine schönen Bücher, seine seltenen Exemplare, darunter viele Unika, müssen in andere Hände übergehen. Mit jedem Tage rückt der Tod dem Greise näher, der dem entschwindenden Leben nachzueilen versucht und sich leidenschaftlich an die Arbeit klammert. Er beeilt sich, mit seinen Aufträgen im

237

Sommer fertig zu werden, um im Winter Muße zu
haben, krank zu sein. Wochenlang hustet er und legt
doch die Nadel nicht aus der Hand. Immer wieder
nimmt er ein Porträt Racines vor, das er kaum fertig
machen konnte. Am 2. März 1806 schreibt er an
Renouard:

*... Ich bin so schwer krank gewesen, daß es mir im
ganzen letzten Monat nicht möglich gewesen ist, einen
Nadelstrich zu machen; richtig arbeiten kann ich auch
jetzt noch nicht; vor zwei Tagen habe ich eine kleine
Medaille, die etwa eine Stunde Arbeit beanspruchte,
zeichnen wollen; das ist alles, was ich habe machen können,
und zwar nicht ohne Mühe. Aber in meinem Unglück
schätze ich mich glücklich, keine Platte unter den Händen
gehabt zu haben, auf die Sie gewartet hätten, denn ich
wäre nicht imstande gewesen, Sie zufrieden zu stellen.*

*Ich sehne mich sehr nach der Wiederherstellung
meiner Kräfte und nach der Ankunft des Frühlings, um
Ihren Racine fertig zu machen (er sollte nach meiner
Berechnung schon im Februar fertig sein) und mich
dann ein wenig mit den anderen erwähnten Aufträgen
zu beschäftigen.*

*In dieser ganzen Zeit habe ich nicht einen Taler ver-
dient, dafür aber recht viele ausgegeben ...*

Und woran sollte sich dieses Talent buchstäblich
zu Tode arbeiten? Worauf sollte die Nadel Augustins
de Saint-Aubin ihre letzten zarten Linien graben?
Der Sterbende sollte seine letzten Kräfte zusammen-
raffen, um auf einer großen Platte, einem Bilderbogen
à la Épinal, alle Herrscher Frankreichs, von Phara-

238

mond bis Napoléon, darzustellen. Er weiß nicht einmal, ob man ihn nicht zwingen wird, unter jedes Porträt den Taufnamen der Geschichte zu setzen: *der Gute, der Faule, der Fromme,* und er bittet, daß man diesen Kelch an ihm vorübergehen läßt:

Trotz meinen häufigen Erstickungsanfällen, trotz der übermäßigen Hitze, kurz trotz allem und jedem muß ich arbeiten, und ich bemühe mich zu schaffen so viel ich kann. Ich werde sehr bald unsere Kapetinger ätzen lassen, das heißt mit Ausnahme der drei letzten, die hinterher gemacht werden müssen, weil der Ätzgrund an dieser Stelle verdorben ist; ich möchte gern wissen, ob Ihnen viel daran gelegen ist, daß die Beinamen dieser Könige, wie „der Gute", „der Fromme", „der Vielgeliebte", „der Ritterliche" usw., angebracht werden; in der Serie nach Cochin, die Sie mir als Muster geschickt haben, sind von diesen Beinamen viele ausgelassen worden; ich möchte es gern ebenso machen. Weniger, um die Zeit meiner Arbeit zu verkürzen, als um die tödliche Langeweile zu vermindern, die mir das Stechen dieser Bezeichnungen verursacht. Wenn Sie einen Augenblick für mich übrig hätten, wäre es mir sehr lieb, mit Ihnen hierüber sprechen zu können. Hoffentlich sind alle Ihre Kinder wieder gesund; ich wünsche das von Herzen.

Ich habe die Ehre, Sie zu grüßen.

Saint-Aubin.

Wenn es Ihnen paßt, möchte ich mir am 30. dieses Monats gern 200—300 Franken bei Ihnen holen lassen.

Von diesem Brief bis zum Tode Saint-Aubins vergingen noch drei Monate. Er starb am 9. November 1807.

239

6

Wir wollen die Saint-Aubin nicht verlassen, ohne
von dem ältesten Bruder Gabriels und Augustins zu
sprechen: von Charles-Germain[1]). Und zwar wollen wir
ihn selbst von sich erzählen lassen, alles, was er in
jener kleinen, drei Seiten langen Biographie niedergelegt
hat, in jenem kurzen und merkwürdigen Bericht über die
Existenz eines ganz in seiner Zeit wurzelnden Künstlers.

GESCHICHTE DES HOFZEICHNERS SEINER MAJESTÄT DES KÖNIGS, CHARLES-GERMAIN DE SAINT-AUBIN.

Von ihm selbst verfaßt.

„Ich, Charles-Germain de Saint-Aubin, wurde am
17. Januar 1721 zu Paris geboren. Eine derbe Amme
hat mich, ohne mir besondere Fürsorge angedeihen
zu lassen, zu Gonesse genährt. Mein Vater, der Stecher
war, hatte Mühe genug, fünfzehn Kinder, deren ältestes
ich bin, zu erziehen. Er schickte mich zu Dutrou,
einem recht guten Meister, wo ich Ornamente zeichnen
lernte. Mein Erfolg in diesem kunstgewerblichen Genre
und einige natürliche Anlagen veranlaßten meinen
Vater, mich für diesen Beruf zu bestimmen. Indessen
wies er mehrere Gelegenheiten zurück, mich nach Lyon
zu senden, damit ich mich dort in den Fabriken vervollkommnen könne. Ich blieb zu seiner Unterstützung
in unserem Geschäft bis zum Jahre 1745, dann nahm

---

[1]) Das Porträt Charles-Germains de Saint-Aubin ist zum erstenmal
von meinem Bruder gestochen worden nach einem unbekannten Porträt,
das sich in unserem Besitz befindet.

Pierre Antoine Baudouin   *Die unachtsame Gattin*

ich mir selbst eine kleine Wohnung für vierzig Taler in der Rue de la Verrerie, allerdings mit der Angst, eines schönen Tages nicht zu wissen, wovon ich meine Miete bezahlen sollte. Im ersten Jahre verdiente ich tausend Taler. Mein übertriebener Fleiß im unaufhörlichen Erfinden neuer Stickmuster, die unleugbare Tatsache, daß ich sehr gern arbeitete, die Sucht hervorzutreten, alles das war bei meiner zarten Gesundheit die Ursache, daß ich mich übernahm. Die Liebe und ihre Händel taten das übrige. Man sprach von heiraten. Ich schob diese Verbindung hinaus, solange ich irgend konnte, band mich jedoch selbst immer mehr und mehr. Meine Geliebte war nach Lothringen gegangen; auf mir lasteten Sorgen, Aufregungen und viel Arbeit. Meine Augenbrauen und meine Haare ergrauten, ohne daß ich irgendwie krank war, meine Zähne fielen aus. Meine lebenslustigen und fröhlichen Freunde waren für mein Gemüt kaum mehr als eine oberflächliche Zerstreuung. Endlich heiratete ich, von meiner Zuneigung und auch von meinem Gewissen getrieben, am 26. Januar 1751 Françoise Trouvé, die als Mitgift nichts weiter in die Ehe brachte als ein liebenswürdiges Gesicht, eine hübsche Stimme, gesellschaftliche Gewandtheit und Hang zu geselligem Verkehr. Dann nahm ich den Titel eines Hofzeichners Seiner Majestät des Königs an, den mir niemand bestritt. Nun hieß es einen Hausstand gründen, eine entsprechende Einrichtung anschaffen, wobei Putz und Schmuck nicht vergessen werden durften. Arbeit und Ausgaben vermehrten sich also. Mein Sinn für das

Häusliche, verbunden mit einer ganz gemäßigten Leidenschaft, und mein Hang zur Arbeit haben mich jetzt erst so recht empfinden lassen, daß gute Vermögensverhältnisse, keine großen Aufregungen, kein schwerer Kummer, ein Leben in bestimmten Grenzen und gleichmäßiger Ruhe, eine geschmackvolle Kenntnis der Künste und der Natur genügen, mich für ihre Werke zu interessieren. Meine Muße- und Erholungsstunden widme ich Konzerten, Gemäldesammlungen, Naturalienkabinetten, dem Stich und besonders der Lektüre. Sparsamkeit und meine Arbeiten halten mich ab, an fröhlichen Gesellschaften teilzunehmen. Ich habe drei Kinder, die ich liebe und die mit allem, was ich denke, aufs engste verknüpft sein werden.

Am 11. September 1759, dreizehn Tage nach einer sehr unglücklichen Entbindung, verlor ich meine Frau; sie erstickte an einem Geschwür. Sie starb uns, ohne selbst die Nähe des Todes zu ahnen, unter den Händen weg, trotz der liebevollsten Pflege und der zärtlichsten Behandlung. Mein Vermögen betrug, als ich mich verheiratete, achttausend Livres, jetzt ergibt die Inventur, daß meine ganze Habe etwa siebzigtausend Livres beträgt. Ein Jahr lang überlege ich bei mir selbst, wozu ich mich entschließen soll. Dann bringe ich meinen Sohn in einer Pension, die kleine Rose bei ihrer Großmama unter und bleibe mit meiner ältesten Tochter allein.

Im Jahre 1760 zieht meine Schwester zu mir; sie führt mir von nun ab die Wirtschaft. Ich fange wieder an, Zeichnungen und Entwürfe zu machen. Man nennt mich den ersten in meinem Beruf. Ein Spitzengeschäft

242

(Herr Dufourny, Hoflieferant Ihrer Majestät der Königin, Rue du Roule) bezahlt mir eintausendzweihundert Livres, damit ich nicht auch für seine Konkurrenten arbeite. Was ich für dieses Handelshaus an Zeichnungen und Mustern liefere, wird mir besonders bezahlt. Die Einsamkeit, die mein Herz umfängt, wird die Ursache, daß ich mich zehn Jahre lang fast ausschließlich einer zärtlichen und liebevollen Freundschaft widme, aber nichts ist beständig.

Im Jahre 1769 verlieren ungefähr sechzigtausend Livres, die ich in Staatspapieren angelegt hatte, durch ein königliches Edikt etwa die Hälfte ihres Wertes. Meine Kinder, für die ich diese Summe Sou für Sou gespart hatte, werden am schwersten davon betroffen. Um diese Zeit fing die Gicht an, mich zu quälen. Im Jahre 1770 machte ich eine Reise nach Flandern, das ich teilweise zu Fuß durchwanderte; ich wollte Gemälde sehen und einige Spitzenmanufakturen besuchen; mein Zeichenstift hat diese Reise bezahlt. In demselben Jahre überreichte ich der Akademie der Wissenschaft eine mit erläuternden Bildern versehene Schrift über die Kunst des Stickens, die sie mit Dank angenommen hat und drucken lassen will. Ich lasse zwölf große, mit Blumen verzierte Namenszeichen stechen, und diese Kleinigkeit wird ein längeres Leben haben als ich.

Am 19. Februar 1773 verheiratete ich meine älteste Tochter (ein bezaubernder Charakter, ein Wesen, das ich wie meinen Augapfel gehütet habe) an den Schmuckfedernhändler Jacques-Roch Dounebecq, Hoflieferant Seiner Majestät des Königs. Er ist noch die Ein-

16 *   243

richtung seines Geschäfts schuldig, ich verhelfe ihm dazu, sie zu bezahlen. Er ist ein lieber, guter Mensch, der mehr Lebensart als Geist besitzt. Ich glaube sicher, mit dieser Heirat etwas Gutes gestiftet zu haben. Am 21. November 1775 verliere ich meinen Oheim und einzigen Verwandten. Das Wenige, was er hinterläßt, soll meiner Schwester zufallen. Im Jahre 1777 verliere ich meine Pension von zwölfhundert Livres. Die Stickereien und damit auch mein kleines Talent kamen nach und nach aus der Mode. Nun hieß es, auf Einschränkung und Ruhestand bedacht sein. Ich hatte mich schon lange darauf vorbereitet. Das sollte mir nicht schwer werden. Meine Freunde rückten ins Jenseits ab; sie riefen mich zu sich hinauf. Ich wünschte, daß die durchaus aufrichtige Beichte dieser Zeilen eine Vorstellung von meinem geringen Werte zu geben vermöchte. Im Januar 1780 verheiratete ich meine Tochter Rose an einen Notar in Fontainebleau, namens Pierre-Adrien Parisy. Er schien ein sehr kluger und sanfter Mensch zu sein. Da stand ich mit einmal ganz allein da, denn meine Schwester war am 15. Juli zu Dounebecq gezogen. Gern hätte ich nun ein wenig für mich allein in Ruhe gelebt.

Aber bald betrübten mich die Schulden, die Krankheit und die Schattenseiten im Charakter meines Schwiegersohnes Parisy aufs tiefste. Er starb zahlungsunfähig am 15. November 1781. Meine Tochter kehrte zu mir zurück. Am 7. Februar 1786 verheiratete sie sich wieder mit einem Beamten am Châtelet, Maître René de Bonnaire.‘‘

244

Charles-Germain de Saint-Aubin war also nur ein
bescheidener Zeichner, der Blumenarrangements und
Ornamente entwarf, sich damit begnügte, Frau von
Chevreuse „*Mes petits bouquets*" zu widmen, eine Anzahl Blätter, worauf er einmal schwedischen Rosenkohl
mit englischem Champignon in graziöser Weise zusammenzustellen versuchte, und der jene liebenswürdigen „*Fleurettes*" hingestreut hat, wie ein anderes
seiner Hefte heißt; — er ist derjenige von seinen Brü-
dern, der sich am wenigsten über den väterlichen
Beruf emporschwingen sollte, indem er den Gold- und
Seidenfäden ihren Weg auf dem Brokat vorzeichnete,
ein Rivale des berühmten Bro in der Erfindung jener
schweren, erhabenen und prächtigen Stickereien, der
Galonneur der Hochzeitskleider des Dauphins von
Frankreich, der Schöpfer jenes Kleides, das LudwigXVI.
am Tage seiner Vermählung trug; er steigerte den
Luxus der goldenen Verästelungen und der mit Bändern
besetzten verschlungenen Stickereien so sehr, daß der
Reichtum der durch einen Uniformerlaß Ludwigs XIV.
eingeführten Kleider, ja selbst die Verzierung jenes
berühmten Kleides, worin sich der Stolz Villeroys
spreizte, als er 1717 mit dem Könige den Zaren im Hôtel
de Lesdiguières besuchte, daneben einfach verblaßte.
Übrigens für die Unsterblichkeit bedeuten Stickereien
recht wenig; sie sind die Déjeuners der Sonnenstrahlen!

Aber auch dieser Charles-Germain hat seinen guten
Tag und seine Stunde der Erleuchtung gehabt, gleichsam um seiner beiden Brüder würdig zu sein. Der
kunstgewerbliche Zeichner des *Art du Brodeur* hat

245

auch seinen *Essay de Papillonneries humaines* radiert,
der wohl unbedingt von bleibendem Werte ist. Man
stelle sich eine verwitterte, bemooste und halb ver-
fallene Pyramide vor; etwa in der Mitte, in einer Nische,
spielt eine Ratte, die ihren Schwanz herabhängen läßt,
mit einer Nuß; oben auf der Spitze sitzt noch eine
Ratte. Unten sieht man zwei große schmetterlings-
ähnliche Teufel mit großen Flügeln, die wie fremd-
ländische Blätter zerschlitzt und mit bunten Flecken
und Makulatur beklebt sind; sie stützen, bemüht das
Gleichgewicht zu bewahren, wie ein in Azur getauchter
Altas eine Wolkentreppe, aus der eine Felsenzacke
jäh herausragt. Auf die gerundeten Stufen hat die da-
vongeflogene Narrheit ihre Schellenkappe, ihre Maske
und ihre Trommel niederfallen lassen und ein Schellen-
gehänge klingelt am Halse einer Wolke. Eine ganze
Menge Ratten rennen hier und dort über den Rücken
dieser Apotheose; am Ende einer Wolke sitzen sogar
ein paar Ratten und malen! Am Fuße der Pyramide
zeigt eine Trophäe fächerförmig alles, was der Mensch
und besonders das Kind an Tand und an Spielzeug
gern hat: kleine Mühlen, kleine Banner, alle Wind-
mühlen des menschlichen Ehrgeizes! Die Pyramide
hebt sich zur Höhe; und am Himmel sieht man einen
feurigen Blumenregen, einen Streifen fadenförmiger
Pflanzen, Sternenbogen mit tausend Blättchen, wirr
durcheinander geschlungene Sträuße phantastischer
Vegetation, eine kapriziöse, ganz närrisch ersonnene
Flora, die wie ein Knallfeuerwerk hin und her zu zischen
scheint — eine wahre Ausgeburt der Tollheit von blitz-

246

und donnerähnlicher Wirkung, ein Delirium, so daß
man annehmen möchte, das wären alle „Fleurs idéales"
des Jean Pillement, die man mit Pulver geladen hätte
und die nun hier herumspringen! Inzwischen um-
winden Schmetterlinge mit einer Rosengirlande, die
kein Ende nimmt und die sie auf ihren Schultern dem
Himmel entführen, die Pyramide, gleichsam um sie
anzuketten: Dieses Blumenband, diese unvergängliche
Kette zwischen Erde und Himmel, zwischen dem
Menschen und Gott soll vielleicht die Hoffnung bedeuten. — Man blättere weiter: Zwei *Papillons*, zwei
schöne Burschen mit wutgekrümmten Fühlern, kreuzen
die Klingen. Ihre Zeugen sitzen auf leiterartigen
Arabesken und unterhalten sich; und über einem Para-
vent schaut die *Papillonne*, für die man vom Leder
gezogen, dem Kampfe zu, um zu wissen, wer ihr erhalten bleiben wird. *Ite, comoedia est*, die Papillonnerie
Germain de Saint-Aubins ist zu Ende; aber was wir
gesehen haben, genügt, uns den Träumer und ironischen
Poeten, der in diesem Menschen steckte, erkennen zu
lassen, den Künstler, der sich über die Welt mit dem
Schmetterling und mit der Ratte lustig macht, diesen
beiden Sinnbildern unserer Nichtigkeit: des Scheins
und des Todes! Was will man mehr? Und war dieser
Vater und Pate Grandvilles nicht von unverkenn-
barem Hohn auf den irdischen Ruhm geleitet, als er
auf dem Titelblatt der *Papillonneries* seinen Namen
in ein Spinnengewebe zeichnete[1])?

---

[1]) Germain de Saint-Aubin wurde in Saint-Joseph begraben den
18. März 1786.

247

NOTIZEN

„Gabriel de Saint-Aubin, geboren am 14. April 1724, zeigte schon in seiner allerfrühesten Kindheit eine ausgesprochene Vorliebe für die Studienzeichnung; in der Praxis jedoch ungelehrig, folgte er anfangs nur seiner Neigung, lernte bei Sarasin zeichnen und malen, wandte sich viel zu früh kleinen Kompositionen zu, die er mit einer Unmenge von Gelehrsamkeit und Einzelheiten überhäufte, erlangte einen der ersten Preise auf der Königlichen Akademie, schuf ein paar unbedeutende Gemälde, bildete einige mittelmäßige Schüler aus und verbrachte sein Leben damit, alles zu zeichnen, was ihm in den Weg lief. Kunstgegenstände, die auf Auktionen verkauft werden sollten, zeichnete er so trefflich auf den Rand der Kataloge, daß man sie leicht erkennen konnte. Er vereinigte ein vorzügliches Gedächtnis mit lebhafter Phantasie; führte kühne Reden; fiel überall, wo er sich zeigte, durch seine Unsauberkeit und sein Talent auf. Greuse (sic) hatte sehr recht, wenn er von ihm sagte: ‚Er war von einem zeichnerischen Priapismus besessen.' Da er alles, was zur Erhaltung und Förderung der Gesundheit nötig ist, ganz und gar außer acht ließ, starb er in völliger Erschöpfung am 14. Februar 1780; er hinterließ in wüstestem Durcheinander seine Wäsche, seine Kleider und vier- oder fünftausend unvollendete Zeichnungen[1]."

---

[1] Handschriftliche Notiz der Saint-Aubin in einem Album mit Zeichnungen von allen Mitgliedern der Familie, im Besitz von Destailleur.

248

Der Verfasser dieser Biographie — die, wie uns eine Notiz berichtet, von Germain de Saint-Aubin herrührt — fügt in seiner derben Schrift etwas später auf der Rückseite eines gorgonenhaften Satyrkopfes Gabriels noch folgendes hinzu:

„Eine der hunderttausend Skizzen von Gabriel Jacques (sic) de Saint-Aubin, der einer der rastlosesten Zeichner des Jahrhunderts war. Er skizzierte auf dem Rand der Kataloge die Gemälde und Zeichnungen, die man zum Verkauf ausstellte. Wenn er spazieren ging, bemächtigte sich sein Zeichenstift der Vorüberwandelnden; die Sitzungen der Akademie waren für ihn nur ein lebendes Gemälde, wovon er eine Skizze anfertigte; bei der Predigt zeichnete er den Prediger[1].“ Und diese Mappe der Familie Saint-Aubin enthält auch jene Skizze, welche die Ursache zu einer Anekdote gewesen ist; man findet auf ihr, und zwar unten, noch eine Notiz von Germain de Saint-Aubin. Auf der Skizze (H. 8c., L. 4c.) sieht man einen Prediger, eine Anzahl von Zuhörern und darunter einen Menschen, der zeichnet. Und die Notiz sagt folgendes: „Es war an einem Karfreitag, als der Maler Gabriel de Saint-Aubin sich nach Notre-Dame begab, um einen berühmten Prediger zu hören; der Künstler nahm im Kirchenschiff Platz, zog aus Gewohnheit sein Skizzenbuch aus der Tasche und begann den Redner zu zeichnen. Die in seiner Nähe sitzenden Personen schauten ihm dabei zu; die Leute vor ihm drehten sich um, die

---

[1] Germain de Saint-Aubin beendigt seine Notiz mit folgendem Satz: „Schade, daß er so wenig auf Ordnung und Sauberkeit gehalten hat.“

249

Leute hinter ihm erhoben sich von ihren Plätzen. Schließlich lenkte er die Aufmerksamkeit der Hörer so sehr auf sich, daß der Prediger seinen Redefluß unterbrach und sagte: ‚Wenn die Augen befriedigt sein werden, hoffe ich, daß man mir wieder Gehör schenken wird.' Er zeichnete zu jeder Zeit und überall mit einer Leidenschaft, die nicht ihresgleichen hat.''

Der *Recueil des plantes* von Charles-Germain de Saint-Aubin enthält eine zweite handschriftliche Notiz, welche jene erste fast wiederholt, allerdings mit einigen Zusätzen, die ich hier wiedergeben möchte: ,, . . . Er leitete lange Zeit die Zeichenklasse in der sehr besuchten Schule des Architekten Blondel . . . Zu dieser Zeit vernachlässigte er die Malerei und war eifrig auf der Jagd nach allerhand Kenntnissen. Er hatte ein vorzügliches Gedächtnis, führte kühne Reden und zeigte sich, zur Zufriedenheit selbst der Lehrer, auf verschiedenen wissenschaftlichen Gebieten bewandert. Er ging dem Verkehr mit jungen Leuten aus. dem Wege, legte überhaupt gar keinen Wert auf irgendwelchen Umgang und hielt sich von allen Vergnügungen der Jugend fern. Er schuf nur einige Gemälde, die er dann auch noch selbst verdarb, indem er sie mehrmals korrigierte und übermalte. Ein ,,Erdbeben von Lissabon'', das seine Zeitgenossen, die Künstler, mit Vergnügen betrachtet haben, ist durch allerhand Zusätze und Änderungen, die er später darauf anbrachte, ganz abscheulich geworden ... Besser gelungen sind ihm mehrere Ansichten von Gemälde-

250

ausstellungen im Salon du Louvre. Ein Triumph Amors über alle übrigen Götter, der Entwurf zu einem Deckengemälde, ist hinreichend imstande, seinen Ruf zu rechtfertigen. Seine Hauptbeschäftigung war, einige Allegorien zu zeichnen, die römische Geschichte von Philippe de Prétault zu illustrieren und Gemäldesammlungen, die verkauft werden sollten, zu skizzieren. Er zeichnete sie so schnell und so vortrefflich auf den Rand der Kataloge, daß einige außerordentlich fesselnd sind ... Er war ein Sonderling, bizarr, jäh und unsauber. Oft bearbeitete er, bevor er von Hause fortging, mit weißer Zeichenkreide entweder seine Haare, um sie zu pudern, oder seine Strümpfe, um ihnen ein reines Aussehen zu geben ..."

Auf diese Unsauberkeit Saint-Aubins wird in einem Büchlein der Revolutionszeit hingewiesen; sein Titel lautet: *les Pantins des boulevards, ou les Bordels de Thalie, 1791*. (Die Hampelmänner der Boulevards, oder die Bordelle Thaliens.)

Thiemet hat das Wort und spricht: „ ... Ich war einer der Kleckser, aus denen sich das Nachtasyl der Autoren in der Rue du Haut-Moulin zusammensetzte, mit anderen Worten einer der Erztaugenichtse aus dem Taubenschlag der Akademie Sankt Lukas."

Gevatter Mathieu: „Was, du willst ein Zeichner gewesen sein?"

— „Zweifellos, und zwar der verwegenste Spaßvogel der ganzen Lukassippschaft: die Saint-Aubin, diese ,Mistkerle', wie sie genannt wurden, Garaud, die Lenoir, alle waren sie meine Opfer! ..."

251

Ich sagte, daß mir keine authentische Genremalerei Gabriels de Saint-Aubin bekannt wäre. Inzwischen jedoch habe ich ein kleines Bild gesehen, das, wie mir scheint, den Meister erkennen läßt, den ich so lange studiert habe. Dieses Bildchen, das Herrn von Béraudière gehörte, ist auf der Auktion Denon als ein Panini verkauft worden. Es stellt eine Festlichkeit dar, einen echt französischen Maskenball im Rahmen der italienischen Architektur eines Colisée, eines Vauxhall, kurz eines Redoutensaales der Zeit. Pinselstriche in der Art seiner Bleistiftbehandlung, Beinstellungen, die fast seinen Zeichnungen entlehnt sein könnten, zurückweichende und sich verlierende Profile, die er mit Vorliebe seinen Frauen gab, eine helle und gleichzeitig schmuddelige Farbe, die Musiker und mehrere andere kleine Personen in einer Wiedergabe, die die verschwommenen Farbenflecke der Teppichweberei nachahmt, alles das macht aus dieser Malerei ein Bild, wie man es sich, wenn es wirklich nicht von Gabriel herrühren sollte, dem Pinsel des Kleinmalers entschlüpft denken könnte.

Ein anderes kleines Bild gilt für eine Skizze Gabriels de Saint-Aubin. Es ist die Darstellung einer Auktion von Gemälden und Kupferstichen. Der Ausrufer steht auf dem Tisch und hält mit beiden Armen eine große Leinwand zur Ansicht hin, während rings um den Tisch, sitzend oder stehend, Kunstliebhaber und Raritätensammler beiderlei Geschlechts sich stoßen und drängen; einer der *curieux* hält die Hand hoch und

252

scheint den Preis des angebotenen Bildes in die Höhe zu treiben. In einer Ecke prüft ein Amateur beim Schein einer Kerze einen Kupferstich ganz aus der Nähe. Die grüne Hinterwand des Saales ist ganz mit Gemälden bedeckt, und auf einem vorspringenden Simse stehen Büsten und Statuetten. Man findet auf dieser Skizze die von Gabriel so gern angewandten weißen und roten Töne wieder, aber die Qualität des Pinselstrichs, die Technik, ist weit geringer als die auf dem Bilde von Béraudières, und obgleich das Sujet unmittelbar auf Gabriel schließen läßt, möchte ich in dieser „Gemäldeauktion" doch lieber eine Skizze Augustins erblicken, zu der er durch die Manier seines Bruders angeregt worden sein könnte. Dieses kleine Bild befindet sich im Besitze Philippe Sichels.

Destailleur hat jüngst ein Bild erworben, das, abgesehen von seinem offenbaren Ursprung, den eine Notiz auf dem Rücken des Rahmens erhellt, ganz den Charakter einer Originalarbeit Gabriels hat; es ist sein Porträt und hat die Dimensionen jenes Porträts, das er selbst 1776 im Colisée ausgestellt hatte.

Gabriel de Saint-Aubin hat sich darauf in einem rötlichen Hausrock dargestellt, in Rückenansicht, mit losgebundenen und ungepuderten Haaren, den Kopf dem Beschauer zugewendet und damit beschäftigt, in einer vor ihm liegenden Kupferstichmappe zu blättern.

Man erblickt einen ganz eigenartigen Typus; ein längliches Gesicht, ohne irgendwelche Spuren eines

253

Bartes, ein Gesicht, das etwas von einem Geistlichen hat, von einem hagern Seminaristen. ·

Die Malerei ist ein wenig glatt und flach, etwas bläulich kalt, hat nichts von der sprühenden Technik und den geistreichen Akzenten seiner gouachierten Aquarelle; der Hausrock und die Lehne des Sessels jedoch sind mit dem breiten und saftigen Pinsel eines Chardin gemalt.

Auf dem Rücken des Rahmens steht in einer Handschrift der Zeit folgende Signatur: *Gabriel de Saint-Aubin, von ihm selbst gemalt im Jahre 1750.* Es wäre demnach ein Jugendbildnis, das der Künstler von sich im Alter von siebenundzwanzig Jahren gemalt hat.

Herr Henry de Chennevières teilt mir den Auszug eines Katalogs mit, der mir bisher nicht vor Augen gekommen ist und der mit dem Kataloge der Frau du Barry, worin das kleine Bild der „Académie particulière" verzeichnet steht, vielleicht der einzige Katalog des achtzehnten Jahrhunderts ist, der Gemälde von Gabriel de Saint-Aubin erwähnt.

Wir geben hier den Titel des Katalogs und die den Kleinmaler betreffenden Nummern wieder: „Katalog von Gemälden, Zeichnungen und Stichen alter und moderner Meister dreier Schulen; der Verkauf der Kunstwerke wird stattfinden am Freitag, dem 20. Februar 1767, und an den folgenden Tagen von nachmittags 3 Uhr ab im Hôtel d'Aligre, Rue Saint-Honoré; Pierre Peronet, Auktionator. — Paris, Musier fils, 1767."

254

GABRIEL DE SAINT-AUBIN.

64. — Ein Gemälde auf Holz im Rahmen; es stellt sechs junge Akademieschüler dar, die sich bemühen, nach der in den Tuilerien befindlichen Marmorstatue der Fama von Coysevoix zu zeichnen.

65. — Ein Gemälde auf Leinwand, ebenfalls im Rahmen, stellt das Château d'eau de la Ville, einen Teil der Boulevards und viele Menschen dar.

66. — Mehrere Originale und Kopien unter ein und derselben Nummer.

67. — Zwei Stillebenstudien, die eine stellt Weintrauben, die andere ein Rebhuhn dar.

Hoffentlich führen die in diesem Katalog enthaltenen Erwähnungen eines Tages zur Wiederentdeckung des Originals jener „sechs die Fama des Coysevoix zeichnenden Akademieschüler" oder des Originals des „Château d'eau de la Ville".

Folgende merkwürdige Erklärung hat Gabriel de Saint-Aubin schriftlich abgegeben, als er einmal das Opfer eines Diebstahls gewesen ist:

„Im Jahre 1776, am Sonntag, dem 31. März, erschien im Hotel und vor uns Pierre Chénon usw. Herr Gabriel-Jacques de Saint-Aubin, Maler, Privatlehrer an der Akademie Sankt Lukas, wohnhaft zu Paris, Rue de Beauvais, im Hause des Kunsttischlers Gardien, und zwar im zweiten Stock nach vorn heraus; er hat uns gemeldet, daß er, als er gestern nacht gegen elf Uhr

255

nach Hause kam, seine Tür offen, und zwar erbrochen vorgefunden und zugleich bemerkt hat, daß man ihm aus seiner Kommode in barem Gelde ungefähr 1500 Livres entwendet hatte, die in zwei Schubladen lagen, 1000 Franken in der einen und 500 Livres in der anderen, und ungefähr 25 oder 30 Akademiemarken und ein einfaches silbernes Besteck, das mit den beiden Buchstaben G. S. gezeichnet war. Vorstehende Erklärung haben wir zu Protokoll genommen.

Unterzeichnet: *G. de Saint-Aubin.*"

(Akten N: 683, comm^re Chénon père, Arch. nat. — *Bulletin de la Société de l'Art français,* 1877.)

Sedaine war ein Freund Gabriels de Saint-Aubin. Der Freimaurer und Poet wendet sich irgendwo mit folgenden familiären Versen an G. D. S. A.:

Laß doch beiseite den Homer,	Laisse tous ces héros d'Homère,
Die alten, langweiligen Helden,	Et l'histoire du vieux Laban,
Und laß auch beiseite das heilige Buch,	Et cette maligne commère
Von dem du uns wolltest melden!	Qui ne veut point quitter ce banc
Zeichne lieber für Cythera	Où gisent les dieux de son père.
Ein Sujet, zart und galant,	Crayonne plutôt pour Cythère
Ein Nichts, eine flüchtige Skizze	Quelque sujet tendre et galant,
Mit keck beschwingter Hand!	Un rien, une esquisse legère
	Sur ce quarré de papier blanc.

Der Band, der diese Verse enthält (Recueil des Poésies de M. Sedaine, Louvre, 1760), trägt auf dem Titelblatt das Bildnis des Verfassers von Gabriel de Saint-Aubin, ein Porträt, um welches Sedaine den Künstler mit folgenden Versen gebeten hatte:

256

Wann darf ich mich Euch präsen-	Quand voulez-vous que ma figure
tieren	Aille droite comme un piquet
In schönster Positur,	Se planter en belle posture
Damit Ihr mich könnt skizzieren,	Auprès de votre chevalet?
So hübsch wie möglich nur?	Mon minois, que, par conjecture
Die Phantasie mag walten,	l'estime moi-même assez laid,
Sie öffne Euch ihr weites Reich,	Veut une fois être parfait
Was die Natur mir vorenthalten,	Et gagner par votre peinture
Empfang ich nun erst von Euch!	Le gracieux que la nature
	Iadis lui refusa tout net.

Die Freundschaft Sedaines ging von Gabriel auf
Augustin de Saint-Aubin über. Seine in einem Bande
gesammelten Poesien enthalten ein Hochzeitsgedicht,
das er der Vermählung von „M. D. S." (Augustin de
Saint-Aubin) mit „Mlle L. N. G." (Louise-Nicolle Godeau)
widmete, ein Gedicht, worin er die Schönheit der jungen
Gattin feiert. Einige Jahre später veranlaßte die Geburt
eines Töchterchens, der die eines Knaben voraufge-
gangen war, den Dichter, dieses freudige Ereignis mit
nicht minder liebenswürdigen Versen zu feiern.

Im *Recueil de Plantes, copiées d'après nature*, von
(Charles-Germain) de Saint-Aubin, Hofzeichner Seiner
Majestät des Königs Ludwig XV., 1736—1785, einem
Foliobande von mehr als 250 gouachierten Aquarellen,
ist auf das Titelblatt ein Porträt des Künstlers geklebt,
eine mit Kreide und Rötel erhöhte Bleistiftzeichnung.
Am unteren Rande dieses Porträts liest man, daß es
im Jahre 1767 von Augustin de Saint-Aubin nach
seinem damals sechsundvierzig Jahre alten Bruder
gezeichnet worden ist. Dieses Porträt scheint der
Fräulein de Saint-Aubin als Vorbild gedient zu haben.

Man sieht in diesem Bande gezeichnete und getuschte Jonquillen, Kornblumen, Skabiosen, Ranunkeln, Christaugen, Venushaar usw. usw., allerdings mit etwas unsauberen und schwärzlichen Farben. An einem Jasminzweige hängt, zur Hälfte aufgerollt, eine farbige Radierung, die das Schloß von Choisy darstellt; die Augentäuschung ist vollkommen erreicht; das gleiche ist auf einem anderen Aquarell der Fall; dort ist an einem Levkojenstengel ein Notenblatt befestigt, worauf geschrieben steht: *Kompositionsversuch, Mademoiselle de P . . . . gewidmet bei der Rückgabe eines Taschenspiegels.* Auf dem Blatt einer kohlartigen Seepflanze liegen zwei Scalatabildungen; darunter steht folgende Notiz: *Die Scalata, die den Raritätenwert dieser nur in Indien vorkommenden Muschel erhöht, bewahren die Fürstentöchter des Moguls mit ihren kostbarsten Kleinodien auf; das Original der hier abgebildeten hat der Präsidentin de Bandeville im Jahre 1757 sechzehnhundertundelf Livres gekostet.* Unter mehreren Studien, Verbindungen von Blumen und Vögeln, befindet sich ein Blütenfries mit der Unterschrift: *Eins der vierzigtausend Stickmuster von der Hand Charles-Germain de Saint-Aubin.*

Unter diesen Blumen bemerkt man auch ein Bukett aus dreifarbigen Winden; darunter steht: *Madame la Marquise de Pompadour hat im Jahre 1757 an diesem Bukett gearbeitet.* Und diese Erwähnung findet einige Seiten weiter in folgender Notiz eine Fortsetzung: *„Die Frau Marquise de Pompadour hatte Herrn de Saint-Aubin sehr gern. Sie ließ eigens für ihn eine*

258

Schachtel mit chinesischen Tuschfarben kommen und schenkte ihm oft zierliche japanische Möbel und japanisches Porzellan. Da sie selbst viel zeichnete und radierte, so liebte sie den Umgang mit Künstlern. Wahrscheinlich hat sie ihn sogar besucht, weil eine auf Seite 68 dieses Bandes von ihm gemachte Notiz bezeugt, daß sie an dem dort gemalten Bukett mitgearbeitet hat. Herr de Saint-Aubin war ein schöner Mann, liebenswürdig, geistreich, beißend witzig, sehr satirisch, sehr galant gegen die Damen; kurz, ein Mensch, der sich in jeder Gesellschaft vollendet zu bewegen verstand. Er zählte bei verschiedenen hervorragenden Persönlichkeiten seiner Zeit zu den gern gesehenen Gästen. Frau Clotilde de France hat ihn, wie man auf Seite 140 lesen kann, damit beauftragt, ihr ein Stickmuster zu entwerfen, das ein für Seine Majestät bestimmtes Portefeuille schmücken sollte.''

Am Anfang der ganzen Sammlung steht folgende Notiz: „Beim Tode ihres Verfassers im März 1786 ist diese Mappe in die Hände seiner ältesten Tochter Marie-Françoise de Saint-Aubin, Madame Dounebecq, übergegangen, die sie bis zu ihrem Tode, der am 27. Dezember 1822 zu Fontainebleau eintrat, besaß. Laut Testament hatte diese Dame sie dem Stecher Pierre-Antoine Tardieu, dem Gatten ihrer Nichte Eugénie-Isabelle de Bonnaire vermacht. Die vom Maler auf diese Zeichnungen gesetzten Daten beginnen mit dem Jahre 1736 und endigen mit dem Jahre 1785. Fünf dieser Blätter, die Seiten 140, 149, 156, 215, 257, erscheinen den Botanikern als Zeichnungen von Pflanzen,

die der Künstler frei erfunden hat: das ist sehr wohl
möglich, denn sein Charakter war durchaus heiterer
Art, er war ein geistreicher, allerdings spöttischer und
etwas derb satirischer Mensch; es ist sehr glaubhaft,
daß er sich den Spaß gemacht hat, einige Blumen nach
eigener Erfindung zu malen, um nach seinem Tode
die Weisheit der Gelehrten, denen dieses Buch in die
Hände geraten könnte, auf die Probe zu stellen. Und
Tardieu, der Verfasser der Notiz, erzählt, daß im letzten
Monat seines Lebens Larevellière-Lepaux, der sich
das Manuskript durch Vermittlung des Arztes Gérardin
geliehen hatte und der ein großer Blumen- und Pflan-
zenfreund war, sich damit unterhielt, Anmerkungen
zu den Pflanzen zu machen."

Von Charles-Germain ist mir noch eine andere
Mappe von sehr ungleicher Art unter die Hände gekommen. Der Titel lautet: *Livre de Caricatures tant
bonnes que mauvaises.* Ein aquarellierter Rahmen aus
phantastischen Blumen zieht sich rings um den Titel
herum; am untern Ende des Rahmens ist eine Narrenkappe auf zwei mit Schellenbändern geschmückten
Blasen angebracht. Auf der Rückseite des Titelblattes
erhebt sich eine Pyramide mit der Inschrift: *Il eut
pourtant une réputation,* und unter der Pyramide sieht
man zwischen Musikinstrumenten und unter einem
Zeichen der Mutter Narrheit ein Wappen, worin eine
Klystierspritze prangt, und das als Wappen des Künstlers zu betrachten ist. Nach einer Notiz hieß dieses
Buch in der Familie: *le Livre des culs.*

260

Dieses Album enthält auf 387 Seiten erotische, phantastische und satirische Skizzen in einer ziemlich dürftigen Aquarelltechnik und in einer etwas kindlichen Manier; wertvoller sind sie dadurch, daß sie eine kleine karikaturale Geschichte der Zeitereignisse bilden. Die erste Seite stellt eine Art Tänzer von der Oper im Maskenkostüm dar, der in der einen Hand ein Glas, in der andern einen Totenschädel hält. *Diese Anregung verdanke ich der hübschen Fräulein B . . . ., sie gab sie mir unter der Bedingung, daß ich ihr ein paar freche Verse machen sollte. Am nächsten Tage traf ich sie allein in unserem Garten, und ich versetzte sie in eine Lage, wie man das auf Seite 274 sehen kann.* Und auf Seite 274 erblickt man unter einem dichten, schattigen Gebüsch ein auf dem Rücken liegendes Mädchen mit hochgehobenen Röcken; unten in der Kartusche steht: *vulvam non habebat.*

Dann folgen Männer und Frauen, die Arzneitränke verkaufen, phantastisch aufgeputzte Indianer, Karikaturen biblischer Personen und Vorgänge, mehrere Mandarine mit ziemlich genauer Wiedergabe des Kostüms, allerhand Faschingsmotive („Mardy gras conduisant les andouilles farfelues en guerre contre Panurge"; „Careme-prenant allant tristement à tous les diables"), ein Negerschurz aus Seezungen und Schollen, groteske Paladine „der Ahnen der Montmorency und der Condé", Mann und Pferd mit Metallblättchen beschlagen, gutmütige Kerle mit dem Titel: *Froid au cul et Mal au ventre* und eine ganze Anzahl von Männern und Frauen mit entblößtem Hintern.

261

Ab und zu erscheint eine ernst aufgefaßte Zeichnung. So begegnet man einer mit all ihren Details
gezeichneten eleganten Galeere. Darunter steht von
der Hand Charles-Germains: *Das Boot des Monsieur
Deleuze, worin wir im Jahre 1765 nach Choisy gefahren
sind.* Ferner sieht man eine entkleidete weibliche Figur
mit 1754 datiert. Dann eine außerordentlich sorgfältig gemachte Zeichnung einer goldenen Tabaksdose
mit Emaillearbeit; darunter steht: *Der ‚sire de Saint-
Albin' schenkte Fräulein Deschamps diese Dose und
25 Louis und hatte nichts weiter davon ....* als eine
lange Nase, was auf einem anderen Blatte dieses Albums
gezeigt ist. Dann die Darstellung jener Gärtnerin mit
Rüben, die einen Augenblick lang Furore machte; daneben steht folgende Bemerkung: *Das sind die Rüben,
die der Parfumeur Dulac im Jahre 1754 für 15 Franken
verkaufte; acht Tage später verkaufte man sie für zwei
Sous, es wurde ein Modeartikel daraus*[1]).

Nun folgt eine lustige Laterna magica mit den bekannten, volkstümlichen und berühmten Persönlichkeiten der Zeit.

Hier ist Ludwig XV. als Koch in der Muette dargestellt, dort d'Argenson, wie er Verhaftsbefehle gegen
das Parlament aushändigt. Ferner sieht man den
Herzog von Clermont; er ist im Begriff, in den Krieg

---

[1]) Unter den Zeichnungen von Charles-Germain befinden sich zwei
entzückende Skizzen von Augustin de Saint-Aubin. Das Profil eines kleinen Mädchens mit weißem Leinenhäubchen und Pelzkragen; darunter steht:
Agathe St.-Aubin à l'âge de 12 ans, 1752, par Augustin de Saint-Aubin. Und
noch ein Profil eines ganz kleinen Mädchens mit der Bemerkung darunter:
Manon St.-Aubin en 1756, à l'âge de trois ans (Madame Donnebecq).

262

zu ziehen; er hält ein galantes Frauenzimmer im Arme, das eine mitraähnliche Mütze auf dem Kopfe hat, trägt eine lange Stange, woran Geflügel und Hasen hängen, auf der Schulter und zieht einen Pontonkarren mit einem Faß Wein. Und abermals einige Seiten weiter ist Richelieu als Affe abgebildet; er trägt große Stiefel, in denen Lorbeerzweige stecken; es ist der Augenblick, wo er sich auf seine Campagne in Hannover vorbereitet.

Auf einem Blatte sieht man einen Esel vor dem Tore eines prächtigen Palastes mit einer Tafel, worauf geschrieben steht: *Öffne deinem Herrn; es ist der vom Großen Friedrich geprellte, geplünderte und geschlagene Prinz von Soubise.*

Dann folgen zwei gegen den Kardinal de Bernis und das Bündnis mit Stahremberg gerichtete Karikaturen. Auf der einen ist der eine Theatermaske in der Hand haltende Kardinal in Purpur gewickelt und geschnürt wie ein Säugling.

Jetzt kommen die Schriftsteller, die Künstler, die Gelehrten und selbst die „filles du monde" an die Reihe. Jene Deschamps mit der Tabaksdose, die wir soeben erwähnt, sieht man, als Karikatur, ohne Hemd, nur mit einem Mäntelchen auf dem Rücken, mit Schminke auf den Wangen, sonst ganz nackt, nur mit Strümpfen und Strumpfhaltern bekleidet. Darunter steht geschrieben: *Casseuse de porcelaine chez le fermier général de Vilm* . . . . *oder die berühmte Kurtisane Deschamps 1761*. Dann begegnet man Voltaire auf dem Weg zum Paradiese; über seinem Haupt schwingt

263

er die Pucelle und sitzt auf einem apokalyptischen Esel, der Fréron sein soll. Duclos wird verspottet, indem die Karikatur auf sein Buch „Acajou et Zirphile" zielt, das er zu den Zeichnungen Bouchers geschrieben hatte. Über den Antiquitätensammler Caylus macht sich das Album lustig, indem es die Abbildung einer bronzenen Vase zeigt, die, wie es behauptet, „der Semiramis als Nachttopf gedient hat". Überhaupt faßt Charles-Germain die Kuriositäten und die Sammler ziemlich hart an. Auf einer anderen Seite gibt er „eine bei den Benediktinern seit 1107 aufbewahrte und mit moderner Butter gefüllte Vase" wieder, und dann erlaubt er sich eine Karikatur des zu Oxford aufbewahrten Arundelmarmors zu machen. Dann erscheinen folgende Personen: Marmontel; er sieht aus wie ein in seiner Rolle ganz aufgehender Hanswurst; in der einen Hand hält er einen Dolch, in der andern einen Besen; der Chevalier de la Morlière in mittelalterlichem Kostüm; er schwingt einen großen lächerlichen Säbel; der Musiker Rameau mit der höchst komisch wirkenden Magerkeit und Länge eines Geschöpfes ohne Ende; der Arzt Tronchin als Wasserträger auf einem Postament; er trägt große Eimer, auf denen geschrieben steht: *Trinkt Wasser, trinkt Wasser!* Schließlich sieht sich der Zuschneider Huber mit der Nachahmung eines Zuschnitts karikiert usw. usw.

Selbst des Verfassers Bruder Gabriel de Saint-Aubin bleibt nicht von den satirischen Pfeilen Germains verschont; er gibt seines Bruders Porträt in einem Rahmen, den ein Affe hält, während er oben über dem Porträt

264

eine Windmühle und einen Kasperle in Bewegung setzt; unten sieht man Wolken mit Ratten bevölkert, die am Rahmen nagen.

Jedoch die Person, die in diesem Album den ärgsten Spott über sich ergehen lassen muß, ist unstreitig die Pompadour, eine Tatsache, die bei den, wie man annehmen muß, vortrefflichen Beziehungen zwischen Charles-Germain de Saint-Aubin und der Favoritin fast unerklärlich bleibt. Zunächst sieht man sie auf der Ausstellung im Salon von 1755 auf ihrem Pastellbild von La Tour; ein Satyr, den Schreibstift zwischen den Zähnen, betrachtet sie aufmerksam und schickt sich an, böse Ausdrücke in sein Notizbuch zu schreiben; dann sieht man sie als Schäferin unter Bäumen tanzend, einen Hirtenstab in der einen, einen Bischofsstab in der anderen Hand, und schließlich erscheint sie nochmals, ganz nackt sitzt sie auf einem Nachtstuhl, umgeben von Priestern, Richtern und Professoren, die bittend zu ihren Füßen liegen: „*Es sei ferne von uns, irgend jemand tadeln zu wollen, sie alle haben zweifellos gute Gründe. Die Jesuiten zu Füßen der Madame de Pompadour.*"

Herr Groult, der mit Eifer die Saint-Aubins gesammelt hat, war so liebenswürdig, mir noch die Kenntnis eines wertvollen Bandes von Charles-Germain de Saint-Aubin zu vermitteln. Es ist ein Katalog des Herzogs von Aumont von 1782, wo er, in Nachahmung seines Bruders Gabriel, nicht nur die dem Katalog beigegebenen Stiche ausgetuscht, sondern auch noch acht-

265

undvierzig selbständige Zeichnungen von Kuriositäten
oder Kostbarkeiten hinzugefügt hat, das Ganze ver-
mischt mit kleinen Notizen, Auktionspreisen und
den Namen der Erwerber, worunter sich der König und
die Königin befinden, und zwar zumeist als Käufer von
Stücken aus Porphyr, Jaspis, von Serpentinvasen, von
Säulen aus Verde antico, und die Prinzessin von Lam-
balle, die besonders chinesisches Porzellan kaufte.

Der Illustrator hat auf die Rückseite des Katalogs
eine handschriftliche Notiz gesetzt, die wir hier wiedergeben wollen:

„Bei der Sorgfalt, die ich auf die Ergänzung meiner
Kataloge verwende, liegt die Annahme nahe, daß ich
großes Interesse nehme an der Mannigfaltigkeit der
Preise, an der Wanderung der einzelnen Dinge, am
Fortschritt der Künste oder am Nutzen der Händler.
Das ist jedoch durchaus nicht der Fall. Die Auktionen
sind für mich ein Zeitvertreib, eine Komödie, worin
jeder Schauspieler ganz naiv seine Rolle spielt: sie
heißt bei den einen Eitelkeit, bei den andern Neugierde,
bei diesem List, bei jenem Mißtrauen; ich kenne beinahe alle diese Schauspieler und die verschiedenen
Triebfedern, die sie in Bewegung setzen. Das amüsiert
mich, ich selbst bin in diesem Raume so etwas wie ein
Ding, worauf sich die Aufmerksamkeit richtet, mein
etwas sonderbares Gesicht gibt zu Späßen und Scherzen
Anlaß, und so belustige ich, ohne es zu wissen, Leute,
die mich belustigen. Man kann Schlimmeres tun, allerdings auch Besseres.

         · *Charles-Germain de Saint-Aubin.*“

266

Den Zeichnungen ist nichts von der Kunst Gabriels eigen, sie sind jedoch dadurch fesselnd, daß sie auf diese Weise die Form und die Farbe vielen chinesischen Porzellans seltenster Qualität retten. Man sieht hier als Aquarelle die unter Nr. 60 aufgeführten Raubvögel, die Hähne unter Nr. 62 und 63, die dunkelgrauen Adler unter Nr. 98, die der Graf von Merle für 1500 Franken erstand, die grotesken Greife unter Nr. 125 und 130, die beiden blaßgrünen Vasen in Form kleiner Tonnen, in prächtiger Weise mit Drachenköpfen und geflügelten Sphinxen geschmückt, die beiden Vasen unter Nr. 110, die für 7501 Franken vom Könige gekauft wurden. Und einer der beiden Schränke unter Nr. 199, schwarz mit goldenen Reliefs, ist mit einem geöffneten Flügel, der das Innere des Möbels sehen läßt, peinlich genau abgebildet; und nach dem lackierten Schranke folgt die Darstellung zweier Boule-Schränke usw. usw. Unter der Zeichnung von Nr. 118, einem Turm mit mehreren Stockwerken in Seladonit, steht von der Hand Charles-Germains geschrieben: *Im Jahre 1750 schickte Herr Dupleix, Gouverneur von Pondichéry, diesen Turm seinem Freunde, Herrn von Fontenay. Im Jahre 1759 wurde er an Herrn von Julienne, Direktor der Gobelinsfärberei, für 850 Livres verkauft. Im Jahre 1767 ging er für 700 Livres in den Besitz des Herzogs von Aumont über und wurde im Jahre 1782 für 600 Livres an Destouche verkauft. Im Vertrauen gesagt, er ist an zwei Stellen geleimt.* Unter die Zeichnung von Nr. 118, zwei längliche Gefäße, die eine Art Teemaschine bilden, und deren Bauch mit Rohrgeflecht umgeben ist und welche die

267

Duchesse de Villeroy kaufte, hat Charles-Germain folgende Notiz gesetzt: *Diese beiden Kannen stellen ein chinesisches Gerät dar, das wir in mehreren Sammlungen gesehen haben, besonders schön bei Boucher, dem ersten Hofmaler des Königs; der Künstler verstand es, ihm melodische Klänge zu entlocken.*

In der Abteilung der Stutzuhren hat Charles-Germain unter Nr. 335, eine von einer Fama überragte Pendule, die außerdem eine allegorische Darstellung Frankreichs und eine Minerva als Protektorinnen der Künste zieren, folgende Notiz geschrieben: *Diese Pendule war im Zimmer Ludwigs XV., als er starb. Sie gehört von Rechts wegen dem Herzog von Aumont, weil er die Stellung eines ersten Kammerherrn bekleidet hatte.*

Unter Nr. 352, einer Laterne von runder Form mit perlengeschmücktem Rande und einem Kranz aus Blättern von Wasserpflanzen, für 1500 Livres vom Duc de Chabot gekauft, steht geschrieben: *Goutière hatte diese Laterne für nur 500 Livres verkauft.*

Unter Nr. 354 ist noch eine andere Laterne abgebildet, die, wie der Verfasser des Katalogs uns berichtet, von dem „reizenden Fräulein von Furcy" für 783 Livres erstanden wurde. Unter der Zeichnung steht von der Hand Germains: *Goutière versichert uns, diese Laterne und die vorhergehenden, jede für nur fünfundzwanzig Louis verkauft zu haben.*

Und der Berichterstatter der Auktion ist so genau, daß er neben einen unter Nr. 83 aufgeführten, mit Blumen und Blättern geschmückten Becher die Worte gesetzt hat: *Er ist gestohlen worden.*

268

Im „Recueil des Plantes" findet man zwei einge-
klebte gestochene Adressen und ein *Ex libris* Charles-
Germain de Saint-Aubins; kleine Stiche von größter
Seltenheit. Die erste von Choffard im Jahre 1760 gestochene Adresse lautet:

De Saint Aubin

Dessinateur du Roy

Rue des Prouvaires, vis-à-vis

Celle des Deux-Ecus,

A Paris.

Die zweite ist wie folgt abgefaßt; sie nennt nicht
ihren Zeichner und Stecher:

De Saint-Aubin

Dessinateur du Roy

Rue du Four St.-Honoré.

Und das *Ex libris* lautet:

De

La Bibliothèque

De Ch. Germain

de St.-Aubin.

Charles-Germain hatte drei Kinder: Marie-Françoise (Frau Dounebecq), Cathérine Noël, Frau Parisy,
die spätere Frau von Bonnaire, und Germain-Augustin,
der vereidigter Taxator wurde.

Frau von Bonnaire hatte zwei Kinder: Claude
Jacques Gabriel, Verwaltungsbeamter bei den indirek-
ten Steuern, und Eugénie-Isabelle, Frau Tardieu.

269

Einem Teil der Abbildungen liegen Kohle-
drucke von Braun, Clément & Cie. in Dornach
zugrunde. - Einige Bilder sind nach Photo-
graphien von F. Bruckmann A.-G. und Franz
Hanfstaengl in München sowie von Kuhn
in Paris. Drei Abbildungen sind dem Werk
„La Tour, Der Pastellmaler Ludwigs XV.“
(R. Piper & Co. in München) entnommen.

VERZEICHNIS DER ABBILDUNGEN

Band I:

WATTEAU

1. Gilles (Titelbild)
2. Das Frühstück im Freien . . . . S. 8
3. Schäferszene . . . . S. 16
4. Der Sorglose . . . . S. 32
5. Musikerköpfe . . . . S. 48
6. Fünf Studien nach Frauenhänden S. 64
7. Frauenköpfe . . . . S. 72
8. Die Musikstunde . . . . S. 80

CHARDIN

9. Selbstbildnis . . . . S. 96
10. Der Brief . . . . S. 104
11. Orangebäumchen . . . . S. 112
12. Mutter mit Sohn . . . . S. 120
13. Kleines Mädchen . . . . S. 128
14. Die fleißige Mutter . . . . . . S. 136
15. Das Tischgebet . . . . S. 144
16. Der Guckkasten . . . . S. 152
17. Bewegungsstudie . . . . S. 160

BOUCHER

18. Venus und Amor . . . . S. 176
19. Schäferszene . . . . S. 184
20. Die Marquise von Pompadour . . S. 192
21. Die Marquise von Pompadour . . S. 200
22. Nackte Frau . . . . S. 208
23. Madame de Pompadour . . . . . S. 216
24. Junge Frau . . . . S. 224
25. Badende . . . . S. 240

Band II:

LA TOUR

1. Marquise de Pompadour (Titelbild)
2. Madame de Pompadour, Vorstudie S. 16
3. Selbstbildnis . . . . S. 24

4. Der Herzog von Burgund . . . . S. 32
5. Weibliches Bildnis . . . . S. 48
6. Prosper Jolyot de Crébillon . . . S. 64
7. Voltaire . . . . S. 80

GREUZE

8. Napoleon . . . . S. 112
9. Bildnis eines jungen Mannes . . . S. 128
10. Das Milchmädchen. . . . . S. 144
11. Selbstbildnis . . . . S. 160
12. Herzog von Orleans . . . . S. 168

AUGUSTIN DE SAINT-AUBIN

13. Rokokodame. . . . . S. 176

GABRIEL JACQUES DE SAINT-AUBIN

14. Der Salon von 1757 . . . . S. 192

PIERRE ANTOINE BAUDOIN

15. Der Morgen . . . . S. 208
16. Die Abendtoilette . . . . S. 224
17. Die unachtsame Gattin . . . . . S. 240